马云现在基本上就是穿布鞋。布鞋舒服随性、朴实且透气，是一个人最能掌控自己，并且可随时急行还不损脚的状态。布鞋是马云的常态人生，皮鞋只是他人生的某些必不可少的点缀。所以本书取名《穿布鞋的马云》。

—— 王利芬

BLACK SWAN 黑天鹅图书

为 人 生 提 供 领 跑 世 界 的 力 量

BLACK SWAN

▲ 2001年，阿里巴巴获得日本软银 2000万美元投资，马云和日本软银总裁孙正义在签约现场

▲ 2002年，王利芬任《对话》制片人央视贵宾间接待孙正义

▲ 马云和金庸在一起

▲ 马云和蔡崇信

▲ 2009年，阿里巴巴集团志愿者第 16 次青川行

▲ 2010年，在第六届"西湖论剑"大会上，美国加利福尼亚州州长阿诺德·施瓦辛格赠送礼物给马云

▲ 2011年，"五年陈"宣誓

▲ 2012年，HR 大会

▲ 马云在优米办公室

▲ 马云在《赢在中国》现场

▲ 2013年，"双十一"作战指挥室

▲ 2014年，《赢在中国蓝天碧水间》总决赛

▲ 《赢在中国蓝天碧水间》，马云和袁岳

▲ 《赢在中国蓝天碧水间》，马云和李静

穿布鞋的马云

决定阿里巴巴生死的27个节点

王利芬　李翔/著

北京联合出版公司
Beijing United Publishing Co.,Ltd.

图书在版编目（CIP）数据

穿布鞋的马云 / 王利芬，李翔著.—北京：北京
联合出版公司，2014.9
ISBN 978-7-5502-3492-5

Ⅰ.①穿… Ⅱ.①王… ②李… Ⅲ.①电子商务—商
业企业管理—经验—中国 Ⅳ.①F724.6

中国版本图书馆CIP数据核字（2014）第196109号

穿布鞋的马云

作　　者：王利芬　李　翔
责任编辑：刘　凯　管　文
装帧设计：红杉林文化

- -

北京联合出版公司出版
（北京市西城区德外大街83号楼9层　100088）
北京慧美印刷有限公司印刷　新华书店经销
字数210千字　　700毫米×980毫米　1/16　　18印张
2014年10月第1版　　2014年10月第1次印刷
ISBN 978-7-5502-3492-5
定价：42.00元

- -

马云对我创业的决定影响最大

王利芬

2009年底我从央视辞职后，走上了与马云一样的创业征途。在决定离开央视前的那年9月份，我参加了阿里巴巴的网商大会，跟马云在西湖边的凯悦大酒店吃饭时，我告诉他，我要离开央视创业了。他说："啊，你搞大了！"我说："你做了一个淘宝网站，是淘物质的东西，我要做一个网站淘大脑里的经验和智慧，你看我这个东西还没有物流，一点儿也不麻烦。"他没有过多评论，只是说他正在部署云计算的事情，说下一个五年一定是云计算的时代。今天我写这本书时，离那个时间点已近五年了，云计算已经成为今天最热的词。现在看来当时他脑子里想的东西与我脑子里想的东西相差十万八千里，他说的我根本听不懂，我说的完全跟他不在一个层面上。其实媒体人很多时候真的听不懂那些业界人士的话，他们往往从最浅层的角度进行大众化的阐释。

但是，马云的创业的确给了我最直接的启发和激励。我是文科出身，根本与技术无缘。当时在网络成功的王志东、张朝阳、丁磊、马化腾、史玉柱、李彦宏都是与计算机相关的理科专业出身，与互联网密切相关，他们在互联网的成功是跟我这样的人完全没有关系的一件事情，我熟悉的柳总也来自科学院，做的也是我很陌生的IT领域的业务。所以，即便技术领域的创业十分让人羡慕，我也觉得是一件跟我无关的事情。就算我眼睁睁地看到了电视行业的衰退，也没有办法走到互联网这个行业。**但是，作为英语教师并且不懂技术的马云在互联网的成功，则让我彻底改变了这个想法，我觉得学英语的可以做互联网，我学中文的也可以一试。**马云三个赛季都是《赢在中国》的评委，他的创业经历我很熟悉，重要的是他所选择的靠奋斗，用商业智慧阳光地实现人生价值，完成人生的方式我最认可。从他身上，你可以看到，因为与未来接轨，因为相信明天，因为不放弃，因为团队的努力，他就可以完成一种自己亲手创造的如同"探索·发现"般的人生。《赢在中国》三个赛季他不仅担任总决赛的评委，还担任36进12和12进5的评委，在这个过程中，与他相处的时间其实很多。**一个人如果榜样就在身边的话，榜样辐射的力量的强度要远远大于那些你并不了解、没有接触的明星带来的力量。**

我是2005年1月份在达沃斯年会世界经济论坛上认识马云的，当时中国银行的副行长朱民（现任国际货币基金组织副总裁）请参会的中国嘉宾一起吃午饭。午饭很特别，在瑞士达沃斯小镇一个半山腰的小餐厅，窗外雪景伸手可及，我们七八个人吃得酣畅淋漓。席间马云话很少，很腼腆的样子，那个样子好像以后我再也没有看到过。我问他，阿里巴巴一年的收入是个什么量级？他东绕西绕没有正面回答我的问题。2004年底阿里巴巴旗下的淘宝开始烧钱，B2B的收入也只有3.59亿元人民币。今天作为创业者的我，知道一个公司在第五年收入达到这个规模确实是不容易的，但在达沃斯那样一个世界500强CEO、企业家云集的地方，也许他认为阿里巴巴的收入不足以表现他的实力吧，也许还有别的原因，反正他没有说出来。

2005年我从美国回来，想做《赢在中国》这个节目，约他喝咖啡。当我说明了《赢在中国》所追求的理念和价值观后，他爽快地答应了我，说愿意全心全意投入做评委，理由是他欣赏节目的价值观。**价值观是一个在生活中常常不被人重视的东西，但是他很看重。而对于一档节目来说，如果没有价值观的引领，就如同没有灵魂。当初如果不是理念上认同的话，让他三个赛季投入那么多时间是不可能的。我创业后才深深感到如此长时间地投入到一个节目中，对于一个企业的创始人来说是多么不容易。**

现在看来，在邀请马云做评委时，我其实并没完全认识到他的价值，这就像我做了《赢在中国》三个赛季的节目，前前后后有500多位企业家评委加入其中，而我根本不懂企业一样。

我真正认识到马云的价值是在创业后。在创业初期那些比较难熬的时刻，我常常在网上看他关于创业的演讲，发现自己以前根本没有听懂，或者说只是字面和语句上的懂，只有自己身处水深火热的创业中时，他的关于融资、关于团队、关于管理、关于谈判、关于失败、关于企业愿景、关于企业文化、关于战略、关于人才等这些，我才真真切切地听到了心里。那些熟悉而陌生的演讲，在我创业艰难时给了我力量。与此同时，我深切地意识到，许多东西我们也许看似听懂了，其实没真懂。想当年也就是离开央视前，我兴致勃勃地告诉马云的那个网站，其实上线不到三周我就关了。原因是我对互联网技术完全没有判断，只是凭着一腔热情就上马了，当时点对点视频和音频技术根本不可能支持客户所需要的服务。就算过去了四年多的现在，那个技术对一个创业公司来说依然是一个很大的挑战。

在创业上，我与马云的差别是蚂蚁和大象的级数，我在生存状态扑腾，而他在布局云端，让他解决我创业中的问题如同用高射炮打蚊子。所以我创业后尽管一年中有几次机会可以见到他，但很少请教他，因为觉得这么小的问题一定浪费他的时间，也肯定入不了他的眼。而不懂技术又在互联网中创业的我又只熟悉他，于是，我就把《赢在中国》的节目再找出来看，搜他在各个场合关于创业的演讲，看阿里巴巴的各种书和报道，期望从中找到我需要的东西。我找到了一些想要的，但花了大量的时间，如同沙中淘金，因为他的报道太多了，关于他的书近百本。我在想，马云已经是一代青年的创业偶像，一定有更多的创业者像我一样希望了解关于马云创业的商业智慧，而他的那些智慧都是在阿里巴巴生死存亡的那些关键节点上历练出来的。所以我想，**如果认真梳理一下阿里巴巴15年的历史，我们一定可以归纳出对创业者有益的东西，可以节省创业者大量的时间。**

为此我邀请了媒体人李翔与我一起点评这些关键节点。我从创业者的角度点评，李翔从媒体人的角度看。因为马云的创业从一开始就像一个启蒙运动一样，需要教育用户使用互联网、相信互联网，所以我们看到，他可以说是在最重要的节点上都有媒体报道、媒体开道，媒体的角度一定是一个很精彩的角度。我希望这些点评可以把马云和阿里巴巴还原到历史发展的每一个阶段去，而不是看着今天已经成功的马云，去神化他在某个历史阶段的选择和判断。在许多关于马云的书中，不乏各种溢美之词，更多的是神化。那些文字让创业者与马云离得十万八千里，那些文字让所有有梦想的人根本不敢上路，那些文字让我们觉得马云遥不可及，真的是传奇，似乎就是外星人。我在想，如果不是我有机会与马云很熟，而是通过看那些神化他的书，我很难获得改变人生轨迹的力量。我希望本书写的马云是一个接近真实的马云。1995年，《东方时空》的樊馨蔓跟随马云所拍摄的专题片《生活空间·书生马云》中有一句旁白，大体意思是说马云在到处推广中国黄页受阻的当晚，坐在车上时沉默无语，街道的灯光反射在他脸上，让他显得有些感伤。2005年我找他做《赢在中国》的评委时，他跟我讲了当时闯荡北京的生活，还睡过地铺，他说离开北京时自己发誓说："北京，我一定会回来的！再回来时北京一定不能这么对待我！"他说这两句话时的眼神我现在还记得，很是伤感，很是激动，尽管当时咖啡厅里的光线很暗，我似乎还是看到了他没有流出眼泪。那样的眼神更加促使我把《赢在中国》这个节目做好，真正传达创业者的心声。《赢在中国》主题歌《在路上》的歌词是我写的，其中有一句是："路上的心酸融进了我的眼睛。"我想，这句话是因为看了很多马云这样的眼神才浮上心头的吧。

我之所以写这两个场景，是因为我想表达：**他是一个普通人、一个凡人。他的杰出：是因为他看到了，并相信未来；是因为他相信了，还和一个团队一起去身体力行了；在身体力行中面对许多艰难时还不放弃。他曾说，即便是下跪也要把互联网泡沫跪过去。我不相信成功学，但我相信做到这几点的人都可以成功。**

我是学文学的，在本书里我基本上就用大白话来表达我的看法，因为我不希望任何文采——当然创业中也没有太多时间讲究文采——把一个有血有肉的马云写成某种传奇或者神话，那是我最不希望看到的。

据马云的司机说，马云现在基本上就是穿布鞋，去一些正式场合才会换上皮鞋，但见完后回到车里，马上又换回布鞋。这段话我一直都忘不掉，原因也许是这个场景非常能体现马云的状态。布鞋舒服随性、平实且透气，是一个人最能掌握自己，并且可随时急行还不损脚的状态。布鞋是马云的常态人生，皮鞋只是他人生某些必不可少的点缀。所以本书取名《穿布鞋的马云》。

在写作过程中，我发现自己在写创业前几年时比较有感觉，写到后面会有些吃力。原因很清楚，就是我自己创业只有四年多，对于一个小创业者，以创业者的心态最大限度地去接近马云是容易的。但是，后来的阿里巴巴已成为一个电子商务生态系统，已是一个大数据服务商，并以此升级进入中国制造业、健康文化环保等领域时，我驾驭起来就有些力不从心。因为这个路我没有走过，可以对接的经验也都是间接的，但我还是硬着头皮写下去了。原因是在一定时间节点上，其实每个人的认知都会有局限性，把它写出来放在这里，作为我自己探索企业发展节点的思考也未尝不可。只是那些大企业家们看了一笑时，要多多包容才是。好在还有李翔的点评，可以在某种意义上稀释我的一些不足。

研究和写作阿里巴巴27个节点的过程真的是一个学习的过程，这句话没有半点儿水分。如果不是要写作出版，我不会在繁忙中停下来，花这么多时间认真地研究这个企业。**虽然我知道，一个创业者如果有时间认真研究一个企业，无论是成功还是失败的，都会获益良多。但因创业太繁杂、太忙碌，总是止于愿望。这次写作的过程其实也是一个最好的接受培训的过程，我内心很庆幸自己的这个选择。同时，更希望读者，特别是创业者们，从中得到的收获会像我一样多。**

节点1
1992年，第一次创业：海博翻译社

我在学校里接触的都是书本上的知识，所以很想到实践中去辨明是非真假。所以我打算花10年工夫创办一家公司，再回到学校教书，把全面的东西再传授给学生们。①

---

① 引自马云语，后同。

创业项目的选择

　　1988年，24岁的马云从杭州师范学院毕业，被分配到杭州电子工业学院教书。当时杭州师范学院500多名毕业生中，马云是唯一一个被分到大学任教的本科生，其他的都被分到中学教书。当时改革开放已经10个年头，人们思想活跃，不会再稀罕所谓的"铁饭碗"，而更看重如何赚钱。马云的活跃在学校是出了名的，为了防止马云有别的想法，也为了给学校树立个好的榜样，当时杭州师范学院的副校长黄书孟跟马云制订了一个"5年之约"，到了那个学校5年内不能辞职出来。

　　马云不想辜负老领导的期望，便痛快地答应了。在杭州电子工业学院任教期间，马云是英语和国际贸易专业的讲师。马云教学有一套自己的办法，他不喜欢一言堂的死板授课，他更希望学生能够积极主动地掌握知识。所以，在马云的课堂上从不乏欢声笑语，学生们都很爱上马云的课，马云的课堂常常座无虚席。

　　与此同时，他在西湖边发起了一个"英语角"，在翻译界慢慢地有了一些名气。当时全国经济飞速发展，而在杭州乃至全国，既懂英语又懂贸易的人才很稀缺。在杭州做外贸生意的民营企业逐渐增多，对翻译服务的需求也越来越多。所以，很多老板找他做英语翻译。但当时他只能做兼职，不能全职，因为他和老校长的"5年之约"还没有到期。

马云对那几年高校任教的生涯很珍惜。时至今日，马云已经蜕变为一个成功的企业家，但提起当时在大学教书的日子，他还十分怀念："我是教师出身，我曾经在大学教过6年的书。"2004年，马云回到母校杭州师范学院演讲时，他对台下的学生讲："很多人认为创业就是为了赚钱，可是我创建阿里巴巴却不仅仅是为了赚钱，而是为了让自己以后有更多的经验教给学生。在大学教书的过程中我得到了很多东西，我爱教书。但是我想到了中国经济的高速发展，在20年以后，我马云是否还能继续站在讲台上教书？因为大学生的学习不光是学书本知识，还有社会实践，不论我创业成功与否，将来我再回到讲台的时候，至少我会比大学里其他老师多了一些经验。"

在大学教书的那段时间，是马云厚积薄发的阶段，不但积累了人脉，还沉淀了心性。在兼职做英文翻译的时候，马云发现身边很多同事和退休老教师都赋闲在家。创办一个翻译机构把他们全动员起来的念头油然而生。

1992年，还在大学教书的马云跟同事一起成立了海博翻译社。这是杭州第一家专业的翻译社，海博取英文"hope"的谐音，意为"希望"。选址杭州青年路27号，这个近30平方米的地方现今作为海博翻译社的一个接待部被保留下来。当时的翻译社就是个小店，所有的员工加起来5个人。马云跟同事一起筹集了3000元人民币，租了一个房子，房租是每月1500元。翻译社的注册资本是3000元。创业之初并不顺利，翻译社经营起来困难重重，第一个月的营业额不足千元。入不敷出的状况令翻译社的员工动摇了，但马云坚信翻译社可以做下去。

与此同时他必须找到新的收入来源。后来，发现卖鲜花跟礼品可以挣钱，马云就背着麻袋坐火车去义乌批发进货。之后他将办公室一分为二，一半拿来卖鲜花礼品，一半做翻译社。而且，马云也常常背着装满小工艺品的大麻袋，在杭州的大街上穿梭售卖。为了挣更多的钱，马云甚至还做过一年多的药品和医疗器材销售员。为了推销产品，他跑遍了杭州各家中小医院及个体诊所。马云用这些小买卖的收入来维持翻译社的运营。

新的问题出现了，既然卖礼品一个月可以赚三四千元，翻译社仅能挣几百元，为什么还要继续做翻译社呢？马云的同事就建议只开礼品店，将来成立一家礼品公司，但马云拒绝了。他陈述了自己的看法：当初成立翻译社的目的是什么，是为了满足市场需求，并解决老师们的问题，还是为了挣钱？既然是为了前者，那就不能放弃，一定要坚持下去，熬过去，光明就会到来。

在经营翻译社的过程中还出现过另外一个问题。当时他们请了一个有出纳经验的女孩子收钱。后来不断发现当天实际的营业额跟他们预想的不一样。但是当时大家都是抓大不抓小，没有太在意。直至三四个月后才发现，那个女孩每天从翻译社的收入中拿走一两百元。这个事情让马云得出一个教训：小公司也需要制度，也需要体系。

1995年，亏损3年后，海博翻译社开始盈利。这时5年之约已满，马云向学校提出了辞职。学校领导，还有马云的朋友纷纷挽留他，但马云却意志坚定，他说："我在学校里接触的都是书本上的知识，所以很想到实践中去辨明是非真假。所以我打算花10年工夫创办一家公司，再回到学校教书，把全面的东西再传授给学生们。"辞职之后，马云全职经营翻译社一段时间。他发现翻译社在实现盈利之后，逐渐走上了正轨，马云就放手让其他同事打理，不再过问翻译社的具体事宜了。他开始寻找新的创业机会。今天，海博翻译社已如当年马云所愿，成为杭州最大的翻译社。多年后，关于这段创业经历马云轻描淡写地提到："我当时认为一定会有需求，应该能成功。"

现在打开海博翻译社的网页，还能看到马云手写的一句话："永不放弃！"在这句话旁边配了一张马云食指轻轻靠在嘴唇边的照片。现任的海博翻译社社长张红回顾马云当年的创业经历时，感慨地说："当大家都还没想到这个行业的时候，当大家都还没有看到这个商机的时候，马云首先想到了，他的想法都是具有前瞻性的。那时我们杭州没有翻译社，我们是第一家独立存在的这样一个公司，大家都不看好，而且一开始也不赚钱，但马云坚持下来了，没有放弃。所以，我很佩服马云，他说的话会让你振奋，没有希望的东西在他看来也是充满生机，他能带给他身边的人生活的激情。"

关于创业的问题，马云在参加中央电视台举办的"中国青年人创业"大会上讲过这样几句话："作为一个创业者，首先要给自己一个理想。1995年我偶然有一次机会到了美国，然后我看见了，发现了互联网。发现互联网以后，我不是一个技术人才，我对技术几乎不懂。到目前为止，我对电脑的认识还是部分停留在收发邮件和浏览网页上。我今天早上还在说，到现在为止我还搞不清楚该怎样在电脑上用U盘。但是这并不重要，重要的是你的理想到底是什么。"

创业
新视角①

创业项目的选择无法规模化

这是马云第一次创业项目的选择，此时的他还是一个大学教师，是在用业余时间创业。他那个时候会的，其实就是英语，用他自己的话说，就是很多人要翻译一些东西，他们找到他，他在这个需求中看到了创业的可能性，索性成立了一个翻译社。那时的马云与我们今天看到的绝大多数创业者选择创业项目的方式并无实质不同，多半在自己正在从事的领域或者相关领域进行。这样的选择有很多好处，一是容易进入，二是有一些资源。但这样选择的项目一般来说照顾了自己过往的经验，往往无法兼顾其日后规模化的发展，更多时候也无法与引领时代前进的科技浪潮相对接。

马云选择的翻译社就是这样一个项目，后来这个翻译社还卖过鲜花、

① 本书"创业新视角"为王利芬从创业者角度做的点评。

礼品，这些项目也都是无法大规模扩张的项目。如果马云沿着这个项目往下走，即使再努力，领导力跟今天一样，他的企业也只会是个有价值、也许有特色，但长不大的企业。因为一个公司要长大、要规模化，必须裂变，而裂变的大体手段只有四个：一个是流程的标准化和优化，一个是运用品牌的力量，一个是技术的手段，一个是资本的介入。如果是翻译社的话，顶多可以把口碑做好，在品牌上发一些力，但因难以运用技术手段，流程也无法标准化，其规模就无法扩大，没有规模的公司，资本不会有兴趣。所以这个翻译社，会像中国几千万个公司一样，停滞在一定的规模而进入一种自转的状态。

创业项目的选定如同种子的选定，你选定的是芝麻，即便你再努力也无法收获西瓜。在这里我们并不是说翻译社这个项目不好，世上的项目无好坏，只是是否适合自己。我的角度只是从公司可规模化和可裂变的程度做点评。

初次创业获得的历练

马云创业的第一个项目，应该是兼职创业，教书为主，创业为辅。这个第一次，让他初步尝到了商业的滋味，这一点对一个曾经在教师岗位的人来说很重要，此前所学所做都与买卖无关。在这点上我有着较深的体会。2005年，《赢在中国》实行制播分离，当时央视只给一个播出平台，节目制作费和人员的工资劳务费都要自己去找赞助，也就是说，我要把节目写一个PPT，去跟人家说节目会如何如何吸引人，然后希望人家投广告。我把PPT做成后始终走不出门，此前在央视我们做节目有预算，有没有广告完全不用考虑。在《对话》节目任制片人期间，我常常因为广告过多而给广告部门提意见。作为一个制作人，我对广告是非常抵触的，而如今我要自己去拉广告，我实在不知如何是好。为此我还跟一位商业中的好朋友请教，他认真地对我说，你如果走不出这一步的话，你就永远不可能成事！这一句话非常刺激我，我硬着头皮去了一家保险公司。尽管这家公司的董事长我还认识，但就是这样，我的PPT还没讲到一半，就浑身是汗，衬衫已湿透。我觉得很难为情，开口要钱让我恨不得找个地缝钻进去。但如果没有人赞助我就没法开始制作节目，无奈之下，我还是坚持讲完了。

现在看来这是一个再正常不过的商务合作，但对于一个以前只在事业单位工作，家中并无商业传统的人来说，仍然是个要过的坎儿。马云以前只是个大学教师，他的家中也无做商业的父母，此时的他离商业其实很远。也许出生在浙江这样一个民营经济发达的地方比我的情形要好一些，但进入商业的买卖环节仍然会有诸多的不适。在翻译社不景气的时候，他还去义乌批发小商品回来卖，这点对我来说有些难以想象，创业之初更无法做到（现在一点儿问题也没有）。我没有问过他心理的落差，但我想这样的实践应该是拉近了他商业本土化的过程。

二是知道了成本与利润。这一点从他在《赢在中国》现场的演讲来看，他当时真的不知道在做一个公司时要考虑成本费用以及与收入之间的关系。他说这个翻译社第一个月收入不到600元，房租却是1500元，亏损是显而易见的。他们原计划6个月收支平衡，但几个月下来都不可能，4个月后他们发现到义乌去进货回来卖鲜花和礼品可以赚钱，至少可以把房租付了。也许读者会不理解一个创业者不知道这个道理。其实，在创业过程中很多简单的事情都是从试错中获得的。好在马云开始的这个翻译社的规模是一个不足万元的小公司，试错的成本比较低，如果开始创业让自己知道成本费用和收入这几项的关系，只是用几千元人民币的损失搞定的话，这太划算了！有许多创业者，在启动几百万元的项目前连这几者的关系都还未弄懂。

三是知道了商业中用人和管理的重要。当时海博翻译社用的一个出纳每天从公司的进账上拿走一两百元钱，持续三四个月都未发现。后来马云说，一个公司制度不好或者没有都会把一个好的人变成坏的人，即使公司只有四五个员工也需要管理，制度不行公司走不了长路。同样地，他在这样一个小的损失上竟然得出了这样的道理，获得了关于公司制度的认识和心得，成本是何其低！

被忽略的开始

绝大多数人会将马云1995年创办中国黄页视作他的第一次创业，而忽

———————————————————

① 本书"时代大视野"为李翔从媒体人角度做的点评。

略他之前其实已经有过一次创业经历。

原因很简单，首先海博翻译社涉足的领域，同今日阿里巴巴集团实在相距太远。阿里巴巴集团涉足电子商务、金融、物流、大数据、云计算和数字娱乐，按照市值计算，在纽约证券交易所上市的阿里巴巴集团是全世界最大的互联网公司之一。这是一家体量庞大的公司。而海博翻译社的业务，如其名字所示，是翻译。它同互联网相距甚远，跟电子商务和大数据之类更是毫无关系，看不到一点儿日后阿里巴巴的影子。

其次，马云在创立这家公司时，并没有离开自己供职的杭州电子工业学院，而是兼职在运营这家翻译社。它的性质，有点像今天很多高校老师还在做的事情：利用业余时间，在校外注册一个公司，赚一点儿小钱，弥补本就不高的工资。

如果硬要找到一些后来阿里巴巴的影子的话，倒是也有。

第一，海博翻译社也是服务于中小企业的，而且跟后来阿里巴巴B2B一样，服务的是面向海外客户的"中国供应商"。海博翻译社的目标客户，那些做外贸生意的浙江民营企业，也是后来阿里巴巴B2B业务的目标客户。我不知道，后来当马云1999年创办阿里巴巴时，他有没有想到回过头来找自己在海博翻译社时期的那些"老客户"。**帮助中小企业，这句话马云到今天还在讲。他倒真的是从第一天创业开始，就在帮助中小企业，只不过是在语言沟通上。**

第二，他是以解决问题的态度开始他的第一次创业的。马云创立翻译社的目的，不是赚钱，或者至少不是以赚钱为唯一目的和最终目的——否则，当他发现从义乌小商品批发市场买来礼品、玩具到杭州卖比翻译社更赚钱时，就应该立刻转变创业方向。他的目的是，创办一个翻译机构，将赋闲在家的大学同事动员起来，让他们的外语能力有用武之地，同时也赚点钱。后来马云总是说，今天的公司，应该是能够发现和解决社会上存在的问题的公司。那时候，他已经发现了自己身边的问题——一方面同事赋闲在家，另一方面贸易公司也需要翻译工作，并且尝试去解决。

值得一提的是，1992年是中国商业史上非常重要的一年。这一年年初，邓小平的南方谈话重新激发了中国人对改革开放抱有的希望。为数不少的人在邓小平南方谈话的鼓舞下，开始创业。后来，泰康人寿的创始人陈东升专门创造了一个词"92派"，用以描述1992年后创业的企业家。

除了陈东升，当时在复旦大学做老师的郭广昌和他的几个同学在那一年注册了公司；河南省外经贸厅的公务员胡葆森辞职创办了一家叫"建业"的公司；冯仑和潘石屹、王功权等六君子在第二年创立了万通；俞敏洪已经是一个成功的英语培训老师了，不过他在1993年才创办了新东方。他们中间的很多人后来也成为了马云的朋友。

不过，那一年中国最著名的商人是牟其中。他在1992年8月用几个火车皮的罐头从俄罗斯换回来4架飞机，降落在成都双流机场，一下子成为轰动全国的人物。媒体的眼光全都被他吸引了。

天下尚无人识得一个名叫马云的大学英语老师。

节点2

1995年5月，成败中国黄页

想清楚干什么，然后就要清楚该干什么；知道该干什么
之后，要明白自己不该干什么。在创业的过程中，四五
年以内，我相信任何一家创业公司，都会面临很多的抉
择和机会。在每个抉择和考查机会的过程中，你是不是
还是和第一天，像自己初恋那样，记住自己第一天的梦
想，至关重要。

找到创业方向

马云第一次接触互联网源于一次美国之行。

1995年，杭州要修一条通往安徽阜阳的高速公路。美国的一家投资公司也参与到这个项目中，但在项目进行的一年时间里，该公司却迟迟没有按照合同支付投资款。杭州政府聘请马云到美国同该公司接触。当时马云虽然刚开始创业，海博翻译社的业务开展得不算多，但名声在外，很多政界、商界的人都听说过他。那时马云号称"可能是杭州英语最好的一个人"。

带着政府的委托，马云担任起了前去美国翻译和协调的工作。可到了美国之后，马云却发现那是一家骗子公司，不但无意合作，甚至希望马云能跟他们一起诈骗中国钱财。当马云表示出不愿意的姿态时，他们竟然将马云软禁了起来。无奈之下，马云只能佯装妥协，再借着需要考察其他项目为由离开。马云后来提起这事："简直就是一部典型的美国式好莱坞大片，特别是后来我到了美国被黑社会追杀，我的箱子现在还在好莱坞呢。"

在机场准备买机票回国的马云突然反悔了，他思考再三，觉得既然来了就不能轻易放弃。马云想起自己国内的一个同事提过他的女婿在西雅图和人合伙创办了一家互联网公司，虽然互联网是一个陌生的概念，但凭借敏锐的嗅觉，马云觉得这个新鲜事物能为自己带来机会和转机。他到西雅图找到那位同事的女婿Sam所在的VBN公司，亲眼见识了互联网世界。

马云发现，人们可以通过互联网搜索到非常多的信息。但是，他也发现在网上搜索不到任何一条有关"中国"的信息。互联网在中国市场上还是一片空白，这让马云兴奋不已，他觉得已经找到了下一步要做的事情了。马云对Sam说想要做中国的互联网，将海博翻译社放到互联网上，Sam表示愿意帮忙。于是，Sam为海博翻译社做了个简单的网页放到了网上。将公司网页放在互联网上的第一天，就收到了来自不同国家的5个人的回复。大家对这个网页表现出了极大兴趣，因为海博翻译社的网页是他们能在互联网上搜索到的第一个中国的网页。

直觉告诉马云这个行业将来肯定有戏。他决定跟VBN合作。他们在美国提供技术，他在中国做推广。回国的时候他带回来了一台486电脑，这已是当时配置最高的电脑了。

回国当晚，马云就邀请了24位交情很深的朋友来聊互联网。但当时互联网在中国仍是陌生的词汇，24个人里面仅有1人认为可以试试。大家的不赞同并没有动摇马云做互联网的想法。一周后，他与妻子张英商定创办互联网公司。创业所需的10万元由他们四处筹借而来。1995年5月9日，中国第一家商业网站"中国黄页"诞生。之后马云说起当初孤注一掷做中国黄页的理由："**其实最大的决心并不是我对互联网有很大的信心，而是我觉**

得做一件事，经历就是一种成功，你去闯一闯，不行你还可以掉头。但是如果你不做，总是走老路子，就永远不可能有新的发展。"

中国黄页成立之初，马云设想的模式是：同美国VBN公司合作，他们提供服务器跟技术，中国黄页负责国内企业的推广。所以一旦马云同中国企业达成协议，海博翻译社将企业的资料翻译成英文，用EMS快递到美国，美国方面负责将主页做出来并挂到网上，再将主页打印出来快递回中国。马云就拿着这些打印的图片给企业看，进而收费。但是在当时，因为互联网在中国没有普及，客户看不见他们在网上的资料，仅凭几张打印照片很难让他们相信。所以中国黄页在中国的业务开展得并不乐观。马云甚至有时候会被当成骗子。

回忆起当年的岁月，马云不无感慨地说道："那时候真可以说是惨不忍睹啊，就跟骗子似的。我们当时跟所有人都说，有这么一个东西，然后如何如何做。我后来觉得'兔子先吃窝边草'，最初是给朋友做，他们知道我这么多年的信用还是不错的，然后就同意做了。最初做的是望湖宾馆，杭州的一个四星级宾馆，然后是钱江律师事务所，最后是杭州第二电机厂。"

幸运的是，在中国黄页创办的第三个月，也就是1995年8月，经过当时中国电信主管部门邮政部电信总局的批准，上海首先在中国内地开通了44K的互联网专线。对马云而言，这就意味着他可以通过长途电话拨号的方式接通网络，给客户看网上的主页。局面慢慢好转，马云带着他的团队也促成了几单生意，但大部分的钱都被VBN拿走了，中国黄页也就没有剩下多少钱。马云渐渐地有了自己做网页的想法。

1996年，李琪的加盟使马云的这个想法成为现实。李琪加入后，他很快就做出了中国黄页自己的网站和服务器。在发布了第一批中国互联网主页后，中国黄页逐渐被人们知晓。而随着互联网行业的逐渐升温，也出现了许多竞争者，有中科院下属的高能物理所创办的"中国之窗"，从美国麻省理工学院博士毕业的张朝阳创办的"爱特信"公司等。

　　当时的马云有了把中国黄页做成中国雅虎的想法。因为北京是信息的大本营，于是他带着8个人的团队迅速北上。在北京，马云希望借媒体的宣传来打响中国黄页的知名度。就在此时，中国黄页也遭遇了最强劲的对手——杭州电信。杭州电信通过中国黄页的成功看到了互联网行业的前景，开始抢占这个市场。当时杭州电信的注册资本是2.4亿元人民币，而马云的中国黄页仅5万元。与杭州电信大约竞争了1年，1996年3月，马云选择与杭州电信合作。杭州电信出资18.5万美元和中国黄页组建合资公司。杭州电信占70%的股份，马云占30%。

　　合作没多久，双方就发生了意见分歧，因为马云仅有30%的股份，所以基本上没有话语权。同时，马云很快意识到，当初杭州电信愿意与自己合作，是因为他们的互联网技术不如自己，就采用了先将中国黄页买过来，把技术学到手，再自己发展的手段。看清这些之后，马云决定离开。

　　离开并不代表放弃，马云离开是为了开始创建自己更清晰的未来："想清楚干什么，然后就要清楚该干什么；知道该干什么之后，要明白自己不该干什么。在创业的过程中，四五年以内，我相信任何一家创业公司，都会面临很多的抉择和机会。在每个抉择和考查机会的过程中，你是不是还是和第一天，像自己初恋那样，记住自己第一天的梦想，至关重要。在原则面前，你能不能坚持？在诱惑面前，你能不能坚持原则？在压力面前，你能不能坚持原则？最后知道想干什么，该干什么以后，再给自己说，我能干多久，我想干多久，这件事情该干多久就干多久。"

二次创业与互联网相遇

这次创业其实是把海博翻译社变成了海博网络，海博的英文是hope。当他用凑出来的两万元注册了这个公司时，马云的命运从此与中国互联网的发展联系在一起了。此后的中国黄页都是沿着互联网的这个发展方向进行的。

这是一个至关重要的选择，无论是做翻译社还是卖鲜花礼品，其创业项目本身的限制都无法成就今天的阿里巴巴，这个选择让他搭上了通向未来的列车。

选择来自运气和对未来的坚信

1995年是全世界互联网商用的第一年，这一年中看到互联网的人少之又少，马云之所以看到是因为帮杭州市政府的忙去美国讨债。此行让他看到了互联网，当他把海博翻译社这个页面做成了网页时，一天居然有5个人通过网页找到了他们，这让他体验了传说中芝麻开门那种喜悦。在这里，他莫名其妙地在帮忙的过程中去了美国，而且还莫名其妙地在回来的最后一站去了西雅图，而且去了一个网吧，他的朋友还坚持让他敲了几个键，让他找到了关于互联网的手感。这些都是巧合，这些都是运气。但如果一个对新鲜事物没有好奇的人是不会把这样一些奇遇与未来的公司发展联系在一起的。我们相信在1995年，也有一些人看到了互联网，但他们并没有用公司这样的一个组织形式来固化对互联网的追随。

在别人的反对中仍然坚信

马云在1995年看到了互联网，也决定把自己未来的发展与互联网结合在一起，这一点很可贵。但有很多人，当决定要做事情时，如果周围的人反对，他们就会放弃。我们知道的情形是，当时他对24个朋友讲，23个不相信，可见这个选择的难度，但他的这个选择还是没有因为别人的反对而变化。

得到用户需要先用媒体启蒙

马云选择的这个创业项目因其超前，不得不采用与媒体合作的方式让更多的人了解信息，从而懂得互联网。人们只有懂一点儿互联网才有可能成为他中国黄页的用户，这就是他参加和运作了一系列媒体活动的原因。那些活动包括：

1. 通过《北京青年报》的司机的关系，在《中国贸易报》上发表宣传互联网的文章。

2. 到《人民日报》做两次演讲，并让《人民日报》上网。

3.《东方时空》栏目的拍摄。

当然还有其他媒体活动，也就是说，他的创业从一开始就与媒体结合在一起。因为他要用媒体启蒙大众，他还用了比尔·盖茨的名义，说互联网终将改变人类。几年后大家都信了互联网，他告诉大家这不是比尔·盖茨说的，但启蒙的目的达到了。所以，马云这个创业同其他创业用媒体宣传产品和品牌不同，他还承担着启蒙时代的使命。直到今天，他在电子商务和金融领域的创新都在承担着启蒙的重任，只有启蒙才有更大的市场，所以他创业注定要用媒体的炮火开道。

不了解资本的滋味导致创业的失败

中国黄页与杭州当地的电信公司展开了竞争，此后杭州电信投资140万元人民币，占股70%，对于一个注册资本只有5万元的公司，马云当时的欣喜之情可想而知。但是很快，他的想法在董事会里得不到支持，这家公司以失败而告终。但马云从中悟到了对资本的体会，这个成本同样并不高。这个体会是：**资本永远不能控制一家公司，资本只能为创业服务，而不能控制公司。**对于阿里巴巴这样一个后来的每一个发展阶段要驾驭如此大资本的公司来说，这个学费无疑交得非常划算。

敏锐的机会发现者

马云在美国第一次接触互联网的故事，在2008年前后，我听过好多次。那时候阿里巴巴B2B刚刚上市，市值超过200亿美元，成为全世界最大的互联网公司之一，马云一时风头无两，关于他早年的故事又被人拿出来翻来覆去地讲。这个故事是其中之一。每个人讲的版本，细节上都有出入，一时让人难辨真假。因为这个故事太过传奇，像一个典型的离奇小说中的情节：被绑架、想尽办法逃脱、偶然间因祸得福发现了日后仗以成名的利器——互联网。有的版本的故事中还会有枪出现。武侠小说主人公掉下悬崖发现失落的武功秘籍，然后借此称霸武林也是同样的路数。

这个故事太过吸引人了。以至于人们会忘记马云创办中国黄页期间究竟发生了什么事情，以及马云为何会放弃中国黄页北上北京，去为外经贸部打工。

马云一向敏锐。在美国接触互联网，然后意识到这里面大有玄机，就是这种敏锐的证明之一。

1995年，也可以说是互联网元年。1995年8月19日，网景上市。今世的所谓互联网思维，很大程度上由网景缔造。这家公司成立16个月时，没有一分钱利润，但是上市当日市值已达71亿美元，年底突破200亿美元。网景的创始人中，吉姆·克拉克至今仍是硅谷传奇人物。他创办过三家市值10

亿美元以上的公司。硅谷流传着一句话："第一次成功说明你很幸运，第二次成功说明你很棒，第三次还能成功说明你是吉姆·克拉克。"另一个创始人马克·安德森，当年是个少年得志的科技神童，今天则是风险投资大佬，他投资的公司包括Twitter、Facebook、LinkedIn、Zynga等。网景之后，再没有人以利润率来衡量一家科技公司，人们开始谈论用户数和点击量。

但马云是在中国创业。他不是马克·安德森那样的科技神童——当时的中国也不可能产生马克·安德森这样的人物，正像今天我们还在讨论中国何时能产生史蒂夫·乔布斯这样的人物一样，他只能借助合作伙伴来完成技术开发。无论是前期和美国公司的合作，还是后来自己拉起队伍做中国黄页，技术都不能成为他可以倚仗的优势。他只是个敏锐机会发现者。这也就造成，当竞争对手纷纷进入时，马云发现自己没有什么优势面对像杭州电信这样的强大对手。

拿破仑有句名言，当你无法打败一个对手时，那就加入他。马云和杭州电信成立了合资公司，自己和团队只有30%的股份。这种情况下，即使合资的另一方不是一家大型国企，他也相当于拱手让出了公司的控制权。如果马云不安于做一个打工者，这种状况必然不能持久。更何况，当时的潮流是，国有企业甚至政府机构的人辞职下海。比如下面这个例子：1995年，一个叫丁磊的人从宁波邮电局辞了职，花了1000多块钱买了张飞机票，飞到了广州，当时他的薪水才800多元。他的梦想是做一个小老板，后来他创立了一家名叫网易的公司。

不过，无论如何，马云总算开始了和互联网的接触。巧合的是，正是在1995年，杨致远和大卫·费罗创立了雅虎。无论今天人们怎么谈论雅虎，以历史的眼光来看，它已经是一家伟大的互联网公司。后来，它还做了一笔伟大的投资，那就是以10亿美元投资阿里巴巴。

另外一个让人印象深刻的事情是，马云在创办中国黄页时已经显示出了他和媒体沟通的天赋。今天我们能看到的马云去国家体委"推销"中国黄页的视频片段，出自当时《东方时空》的樊馨蔓拍摄的纪录片《书生马云》。他通过一名报社的司机认识了《中国贸易报》的总编辑孙燕君，孙燕君帮助他组织了一场发布会。他还说服了人民日报社的社长范敬宜，"让《人民日报》上网"。即使在今天看来，一个创业公司的创始人能够取得这些媒体的认可，也是一件惊人的事情。

节点3
1997年12月，外经贸商务信息中心

创业者最重要的是创造条件，如果机会都成熟的话，一定轮不到我们。所以呢，一般大家都觉得这是个好机会，一般大家都觉得机会成熟的时候，我认为往往不是你的机会。你坚信事情能够起来的时候给自己一个承诺说，我准备干5年，我准备干10年，干20年，把它干出来，我相信你就会走得很久。

选择创业团队

1997年12月，马云接到了外经贸部抛来的橄榄枝。邀请他加盟他们的中国国际电子商务中心（EDI），担任信息部总经理。当时的互联网行业正处于起步阶段，马云因为中国黄页在互联网行业被大家所知晓。所以当时外经贸部为了能够聘请他开出了非常好的条件：提供200万元的启动资金，并给其团队30%的股票。马云率其8个人的团队加入政府外交系统的组织，协助中国企业电子商务的发展。

马云同他的团队利用一年的时间，成功地推出了网上广交会、网上中国商品交易市场、网上中国技术出口交易会、中国招商和中国外贸等一系列网站。可以说，外经贸部的所有网站几乎都是马云跟他的团队完成的，这个影响是非常大的。其中，网上中国商品交易市场是马云在外经贸部做得最出色的一个网站，这个网站是中国政府机构首次组织的，互联网上的大型电子商务实践，在创办的当年这个网站就实现了盈利。其实，它与外经贸部最初构想的商业模式是完全不一样的，是马云不断去说服他们一定要做这样的网站，表示这样的网站是最适合中国市场的。最终他们的努力赢得了外经贸部的同意，促成了当初迅速盈利的结果。虽然马云在外经贸部的成绩是大家公认的，是有目共睹的，但是马云仍然感到现实和理想的差距。

马云在外经贸部期间虽任职中心信息部经理，但在编制上来讲仅能算一个编外人员，涉及利益的重要决定，他并没有发言权。

马云发现，他跟外经贸部领导人的想法大相径庭。马云认为电子商务应该支持中小企业、私有经济，而且网站一定是开放式的，但是，他的老板认为他们要服务大型国有企业，建立内部的封闭系统。在网站定位上大的分歧让马云开始考虑他来北京的目的能否实现。马云来北京是创业的，来追寻自己的互联网梦想的，不光是来挣钱的。**随着时间的流逝，马云不断地在确认他要的不是一份舒适的工作、一份高额的薪水，他想创业，他想创建一个全世界最大的商人网站。**在这个过程中，雅虎杨致远向马云发来了聘请，邀请他任雅虎中国总经理；1998年底，成立不久的新浪也重金邀请马云加入，都被马云拒绝。同时，马云从外经贸部辞职准备回杭州重新进行互联网第二次独立创业。

马云深知理想与现实之间的差距，他不愿向生活妥协，更愿坚持理想，就像他自己说的那样："有了一个理想之后，我觉得，最重要的是给自己一个承诺，承诺自己要把这件事情做出来。很多创业者呢，都想想这个条件不够，那个条件没有，这个条件也不具备。该怎么办？我觉得（对于）创业者最重要的是创造条件，如果机会都成熟的话，一定轮不到我们。所以呢，一般大家都觉得这是个好机会，一般大家都觉得机会成熟的时候，我认为往往不是你的机会。你坚信事情能够起来的时候给自己一个承诺说，我准备干5年，我准备干10年，干20年，把它干出来，我相信你就会走得很久。"

　　马云决定离开北京之后，最先将这个想法告诉他的伙伴们，因为他们是他从杭州带出来的，他认为他有权利与义务跟他们坦陈想法。所以，马云在第一时间告诉了他们他要离开，同时也表示他们可以选择继续待在外经贸部这棵大树底下，或选择去雅虎或刚成立的新浪，他都可以帮忙推荐，并表示这些选择都会让他们有非常好的经济来源。但是如果选择跟他一起重新创业，那么每月工资只有500元，创业条件会非常艰苦。就在几分钟的时间里他们全部决定跟着马云一起回去创业！回去创建一个属于自己的公司，一个自己这辈子都不会后悔的公司。

　　坚定了目标后，马云便不再拖延，他曾对那些想创业的年轻人提过忠告："我看见很多优秀的年轻人，是晚上想想千条路，早上起来走原路。晚上出门之前说，明天我将干这个事，第二天早上仍然走自己原来的路线。如果你不采取行动，不给自己的梦想一个实践的机会，你永远没有机会。所以呢，我稀里糊涂地走上了创业之路，我把自己称作是一个盲人骑在一只瞎的老虎上面，所以根本不明白将来会怎么样。但是我坚信，我相信互联网将会对人类社会有很大的贡献。"

創業
新视角

创业团队理念相同至关重要

如果说创业选对了领域是第一步，第二步就是有相同理念的团队或者合伙人一起去完成共同的目标。但这次在第三家公司，也就是与中国国际电子商务中心合资的、一个名叫国富通的公司里，马云的理念与代表外经贸部的一方完全不同。后者认为电子商务发展模式要以电子数据交换这种封闭的电子商务为主要方向，也就是EDI，马云认为在互联网出现以前，这是最好的选择，但互联网出现后应该运用互联网这个开放的工具；在对待客户上后者认为要控制客户，马云认为要给客户创造价值，客户赚了钱就会跟着你走；在服务的对象上，后者认为应该是大企业，马云认为特别是中国进入WTO后应该为更多出现的民营小企业服务。作为只占有这家公司百分之30%股份的小股东，出现了如此大的理念上的分歧他只好离开，于是，马云第三次创业失败。这三家公司夭折，到1999年他创立阿里巴巴一共经历了7年。在这7年中，他深刻领悟到的而不是别人告诉他的最重要的创业智慧是：

第一，选对创业项目很重要。

第二，即便是四五个人的小公司，管理和制度的建设也很重要。

第三，资本控制了你的公司时，你是没有希望的。

第四，创业团队没有相同的理念和共同的目标会导致分裂。

第五，对国有股东有了近距离的认识（他创办的二个和第三个公司都是与国有企业的合资）。因此，他后来保持与政府的距离，这对阿里巴巴这家公司始终做市场的弄潮儿，苦练内功敬畏市场起到了一些作用。

马云的学习时期

这是马云再度彷徨的时期，或者说，是马云的学习时期。

马云决定北上，接受外经贸部邀请出任下设的中国国际电子商务中心信息部总经理。这一年他已经33岁。在接下来一段时间内，中国互联网界风头最劲的两个人已经创办了自己的公司。他们分别是从麻省理工留学归来的张朝阳和程序员出身的王志东。他们的学习对象是在这一年上市的雅虎。雅虎取代网景成为全世界最炙手可热的互联网公司。

他似乎落后了。张朝阳和王志东已经在尝试着从硅谷吸纳风险投资——《数字化生存》的作者尼葛洛庞蒂做了张朝阳的天使投资人，丁磊在广州创办了网易，马云却还在尝试"与虎谋皮"，先是同一家国有企业成立了合资公司，接下来又来到北京为政府部门的下设企业工作。到外经贸部做事，只是重复一遍同杭州电信合资的经历：对公司没有控制权，和合作方想法不一致。

但这也有可能只是他的学习时期。毕竟，在此之前，他对互联网的理解，仅仅是他在美国对互联网的惊鸿一瞥；回到杭州之后，只是帮助公司将网页做好，发布在互联网上。

我们只能假定，他在北京期间，通过中国国际电子商务中心的平台和资源，对互联网和电子商务有了更多的理解，并且凝聚了更多的资源。

首先是商业模式上的，后来马云回杭州创立阿里巴巴B2B，可以用在外经贸时期现成的商业模式，帮助中小企业在网上发布信息，促进海外贸易。其次是人脉上的。正是在北京期间，马云认识了杨致远，杨致远还要请马云去做中国雅虎的总经理。无论真假，他在北京的确是结识了不少人，从媒体到公司。现在互联网上还流传着一个故事，讲的是马云和古永锵的第一次会面，也发生在此期间。1998年搜狐要请一个COO，马云来面试，先面试他的是时任搜狐CFO的古永锵。两人聊了一阵之后，马云说，我其实并不想来应聘，我已经决定自己创业了，只是听说过你这个人，想来见下你，我觉得你倒挺适合做搜狐的COO。果然，后来古永锵做了搜狐的COO。这个故事说明，马云终究是马云，识人断事，已经高人一筹。

这些经历，只能表明马云的郁郁不得志。或者说，表明了这个杭州人毕竟志存高远。他并不安于做一个看上去体面，但自己并无实际控制力的职务，不想在外经贸部这棵大树下安稳地度过余生。

我们得提醒自己，当马云决定离开北京再度返回杭州时，已经接近35岁了。对于大多数中国人而言，那时的人生已经定型。即使是对今天从事互联网的人而言，35岁，也已经是一个没有太多意外的年龄。但是马云却似乎通过这些"不成功"的经历，越发地清楚了自己最终想要做什么。

史蒂夫·乔布斯引用过的那句话"Stay hungry, Stay foolish"（保持饥饿，保持愚蠢），在三十多岁的马云身上表现了出来。顺便说一句，这一年，世界科技界最让人兴奋或最多人谈论的一件事情，是史蒂夫·乔布斯在这一年把自己创办的Next出售给了苹果公司，然后以顾问的身份重返这家传奇公司。迈克尔·戴尔在媒体上给史蒂夫·乔布斯的建议是，把这家公司卖了吧，然后把钱分给股东。

这一年，邓小平去世。马云后来的好朋友史玉柱成了中国最著名的失败者，他仓皇离开珠海，不知道自己接下来该何去何从。

节点4

1999年1月，湖畔花园创立阿里巴巴

我们在闭门造车，1999年回到杭州之后，我们商量决定，6个月之内不主动对外宣传，一心一意把网站做好。

建立清晰的愿景

1999年1月，马云带着他的团队从北京回杭州再次创业。在离开北京的前一个星期，马云带着他的团队一起去爬长城，这是他们在来北京之后第一次去长城游玩。当时在长城上大家心情都特别沉重，他们认为自己付出了那么多，盈利了那么多，却没有做成自己的事业。同时，他们发誓这辈子一定要做一家让中国人骄傲的公司。把钱、名这一切都搁置在一边，就专心做一件事情。马云的理想是做互联网，从一开始对互联网的一无所知到后来的深入研究，更加坚定了自己要做的是亚洲的互联网。

马云进一步确认自己要做亚洲互联网的想法，得益于他在长城上的一个发现。阿里巴巴成立之后，他回忆说："我们在长城上发现一件很有意思的事情，每块砖头上都写着'张三王五到此一游，李四到此留念'，这是中国最早的BBS。中国人很喜欢BBS，我们不懂技术的人，用起来最方便、最能接受的方式就是BBS，所以从BBS开始入手。阿里巴巴实际上最早就是一个BBS，把每个人想买想卖的东西放在上面。做BBS又要创新。我当时跟我们的技术人员讲每一条贴上去之前都要检查、分类，他们认为这个好像违背了互联网精神。**互联网精神就是彻底的自由，爱贴什么贴什么。**

我觉得不应该爱贴什么贴什么，你必须创新，每一条贴上去之前都要检查，分列上去。"那时候，马云觉得做电子商务是个不错的选择。

回杭州后，他召集18人团队在家里开会。马云跟他们讲述了自己的构想，他想建立一个属于自己的电子商务公司。马云对那次会议做了全程录像。录像中，马云激情澎湃地对着大家演讲："从现在起，我们要做一件伟大的事情，我们的B2B将为互联网服务模式带来一次革命！黑暗之中一起摸索，一起喊，我喊叫着往前冲的时候，你们都不要慌。你们拿着大刀，一直往前冲，十几个人往前冲有什么好慌的……"从录像中可以看到那17位成员有的坐着，有的站着，都在侧耳认真倾听。

在这一次誓师大会上，马云对成员们讲了今后大家要做的事情，马云和成员们确定了创业目标后，便是筹集启动资金，团队自掏腰包募集，最终凑了50万。这是马云再次创业的第一笔启动资金。

因为资金有限，马云租不起写字楼，只能将公司设立在湖畔花园150多平方米的住宅里，这是他在大学当老师时购买的住宅。他和同事们每天就在那个地上到处都是铺开了床铺的住房里工作。他们每天工作十七八个小时，一直在不停地设计网页，修改方案，讨论创意，商量未来之路。

1999年，中国到处充斥着互联网眼球经济，所有的互联网公司都在大肆宣传推广。因为只有造势才能吸引大家的关注，才能引来投资，在别的互联网公司不断造势的时候，阿里巴巴却出奇地安静，与当时热闹的互联网显得有些格格不入。对于外界这样那样的疑问，马云是这样回答的："我们在闭门造车，1999年回到杭州之后，我们商量决定，6个月之内不主动对外宣传，一心一意把网站做好。"

就是在这样的情况下，马云和他的团队一起创立了今天的阿里巴巴。马云为公司取名"阿里巴巴"是出于他要做一个全球化网络公司的考量。在最初创立阿里巴巴的时候，他们就希望将来的一天阿里巴巴能成为全世界十大网商之一。所以它需要起一个全球化的名字，需要一个全世界都能记得住的名字。有一天马云在旧金山出差，他在街上发现"阿里巴巴"这个名字很有意思。后来刚好有个女服务员给他端来了咖啡，他问那位女士是否知道阿里巴巴，她回答说当然知道，是"open sesame（芝麻开门）"的意思。之后，马云就随机在街上找了60多个不同国家的人问他们是否知道阿里巴巴。所有人的答复都是知道，而且都认为这个名字很奇怪、有趣。就这样，"阿里巴巴"被选定为公司名。一是因为容易记，全世界的发音都是一样的；二是因为马云认为阿里巴巴是个善良正直的青年，他希望把财富分给别人而非自己独享。而这个跟马云创立公司的意图、给中小型企业带去财富的初衷非常相似。

因为资金的限制，马云当时采取的营销方式就是完全靠人工一点一点到各种网站、BBS上去贴帖子宣传介绍。因为当时的网站相对来说还比较少，网民们的好奇心也很大，当一个人发现这个网站新奇的时候其他人也会跟着过来看看。就这样，阿里巴巴的流量逐渐大了起来。1999年10月，阿里巴巴中英文网站注册会员分别突破10000人，会员总数超过20000人。

同时，马云也发挥了他善于演讲的优势，不停地在各个地方做演讲，不断地告诉大家"B2B模式最终将改变全球几千万商人的商业模式"。在这些演讲现场，马云激情无限地说："电子商务是一个新的领域，我们最重要的是永远为你所激情的事情激情下去，做电子商务不容易，今天有这么多人在，我非常高兴。从事网络的人，尤其是这几年活下来的人，经历的事情太多……"

这帮助马云吸引了很多媒体，包括国外媒体的注意。同时，也有很多风险投资者注意到了阿里巴巴这家杭州公司。但马云一直在跟投资者们说no。马云表示他看重的是钱背后的东西，而不是别人愿意给他们多少钱。

因为马云"挑剔"的眼光，阿里巴巴迟迟未能融资成功，50万元的启动资金很快用完，到最后马云连员工的工资都发不出来了。这时候，融资这件事变得非常重要了。

七年创业铺就了阿里巴巴

1999年从北京回到杭州的马云，已不再是那个1992年一边教书一边经营翻译社的马云了。七年中，他经历了三次创业的失败：第一次的项目并不是他真正想做的，所以放弃了；第二次相当于被竞争对手收购，最后逼他出局了；第三次与老板的理念不同，最后带人回家乡了。其实在这些失败中，第二次第三次他的股份都是30%，可以说是犯了同样的错误。但这些错误是他这七年中最大的财富，这句话决不是套话，原因是马云交了一笔很贵的学费，那就是七年时间基本一事无成。交这个学费学到的是创业项目的选择、大象与蚂蚁竞争的方法、公司股权结构和董事会的作用、创业中核心团队理念不同的危害。这些学习不是坐在课堂里完成的，是真真切切地饱含委屈、伤痛、辛酸和艰辛的滋味。看到这七年，你就不难理解，他为什么说男人的胸怀是委屈撑大的。七年时间的奋斗都没有结果，此时的马云已经35岁，就算是从1995年辞职创业算起，也创业了4年。但当我们看到湖畔花园那个演讲时，我们发现，那个时候的马云是如此接近我所看到的在《赢在中国》做评委的马云。此时，他清楚地知道他的企业的愿景，他要走到哪里。他的团队也有18位成员，虽然这18位未必都听懂了他的想法，但他们会选择跟着他，听他指挥，这些人中，有他的夫人，他的学生，他的朋友，这些人都很了解他的为人，并且信任他。**2013年我曾经问他的夫人张英，我说当时马云跟你们讲互联网时你们听懂了吗？她说他们当时根本就没懂，而且外面的议论说马云是个骗子，她只有一个想法就是想办法努力让马云所说的变成现实，不要让人家继续说他是个骗子。**

我相信这种朴素的情感在其他成员中间也很普遍，在那样一个似懂非懂或者完全不懂的阶段，靠的其实就是领导者个人的人格魅力了。

在我跟马云所接触的近十年中，他是一个极其诚实守信的人。《赢在中国》三季中，他没有一次迟到或者因公司发展的种种事情影响拍摄，现场没有一点儿架子，对每一位选手的点评都很认真，我们制作团队的人也都很喜欢他。2013年，他来优米网时，当他走到我们电视制作团队办公室时，大家全部站起来跟他合影，一些在2006年《赢在中国》节目组工作过的员工对他像对老朋友一样。在那一刻，我们好像又回到了《赢在中国》的岁月。他对朋友很义气，承诺了的事情一定做到。2011年冬天，我们约他在外经贸大学与大学生做一场对话，但当天他发烧，几百人的会场坐得满满的，场外还有几百人在寒风中排队，等待找到一些可以站着的位置。我告诉了他现场的情况，我说如果实在不行我就跟同学们讲明白，相信他们也一定会理解。但他当晚还是来了，进门我看到他脸色发绿，但他当晚的发挥没有人会想到他是个病人。在我的记忆中，他从来没有一次因为个人的某种原因爽约。

其实只要是了解他的为人，即便是不懂他想做的事情，选择跟他同行也不是一件很难的事情。在某种程度上，这18位早期跟他一起创业的人绝大部分都留在了阿里巴巴，也不难理解。

互联网颠覆线下进出口贸易

此时，他服务的客户很清楚，就是有进出口需求的中小企业。阿里巴巴找到的这个市场早就存在，只是以前人们用交易会等线下的手段获取订单信息。阿里巴巴要做的事情就是把用户吸引到互联网上来，用联结全世界的互联网来获取订单，促进买卖成单的效率。

我们从互联网的发展历程可以看到，但凡真实的需求存在，每一次用技术的手段去满足这个需求时，去改造人工的物理的手段时，技术的手段永远会战胜线下的手段。而优米网今天所做的也是，用互联网的手段把原本在用物理手段在线下做的培训放到了互联网上。

在阿里巴巴把互联网的手段作为中小企业做进出口生意的手段后，这家公司要做的，只是如何让它的用户来使用这个产品，如何让商家相互产生信用，如何让互联网的产品卖到更多的商家那里等。比起选择互联网这个武器来做阿里巴巴这一点来说，后面的问题要小得多，但小得多的问题要执行到位才会让整个战略得以完成。

建立愿景，建立"神话"

马云在杭州湖畔花园创办阿里巴巴的故事已经成为"神话"，这个神话还有视频佐证。马云对着阿里巴巴创始人团队发表演讲那一幕，被摄像机忠实地记录了下来。

马云说，我们要办一家B2B的电子商务公司，目标有三个：第一，要建立一家生存80年的公司；第二，要建设一家为中国中小企业服务的公司；第三，要建成世界上最大的电子商务公司，进入全球网站前10名。

审视这三个目标，我们会发现，阿里巴巴已经从B2B业务扩展到包括C2C、B2C、第三方支付和云计算等领域，从要建立80年公司延长为102年公司，马云为这家公司设置的愿景其实一直没有什么变化。

这个愿景，我们之后会看到，当公司遇到危机时，他会一遍一遍地讲给自己的同事听；当需要面对媒体时，他也会一遍一遍地讲给记者听。

今天马云有时候会对一些创业者说，先不要讲那些"大话"，先关心自己，首先让公司活下来，让公司的员工和家人都过得好，再考虑其他。但看阿里巴巴的历史，建立一个清晰的愿景是重要的——马云说的三个目标中，第三个目标太过具体，或者说太过"大话"，当时在场的18个人估计没什么人认为真的会有这一天。

这个愿景，既是讲给自己的同事听的，也是讲给公众和媒体听的。它

能够让公司的所有员工都明白领导者为公司设定的目标是什么；它也能够让媒体明白这是一家怎样的公司。如果你对内讲的话和对外讲的话又刚好一致——正如马云那样，那么，太好了！

马云在湖畔花园建立的除了愿景之外，还有一个"神话"，一个关于创业的神话。今天，随着阿里巴巴的公司体积和想象空间越来越大，媒体关于阿里巴巴的报道也越来越多，湖畔花园估计已经成为杭州最知名的小区了。

无论是不是马云有意为之，"湖畔花园"已经变成了阿里巴巴的"车库"。

硅谷盛行车库文化。车库文化始自1938年比尔·休利特和戴维·帕卡德租下爱迪逊大街367号，在这座住宅的车库中开始创办惠普公司。今天看惠普公司处在衰落之中，但比尔·休利特和戴维·帕卡德可是包括史蒂夫·乔布斯在内的成功者的商业偶像。到卡莉·菲奥莉娜出任惠普CEO时，这个美国科技界的女强人还要专门到爱迪逊大街367号的车库去朝圣，希望借此向媒体表明自己不是惠普公司的外来经理人，而是认同惠普文化的自己人。今天，惠普创立的车库变成了博物馆，被视为整个硅谷的发源地。

苹果公司也是史蒂夫·乔布斯和史蒂夫·沃兹在硅谷的一处车库中创立的，后来的谷歌和Adobe也都发源于车库。车库文化也就变成了硅谷创新与企业家精神的代名词。

中国没有车库文化。唯一接近惠普车库的，恐怕就是阿里巴巴的创办地点"湖畔花园"了。"湖畔花园"这个地点在阿里巴巴的发展史上还会不断出现，它是马云创造出的一个关于创业精神的象征物。对内，它是阿里巴巴公司文化的一部分；对外，它是阿里巴巴"神话"的一部分。

另外再说一句，你知道其他中国公司的创办地点是什么名字，在哪里吗，无论是早期的华为、万科、联想、海尔，还是晚期的新浪、搜狐、腾讯、百度？你听说过这些著名的中国公司在创办的那一天有意地留下影像，或者哪怕是文字的记录吗？

这就是马云。

节点5

1999年，蔡崇信加入
阿里巴巴

合作都是团队做出来的。如果别人把你当英雄，你千万
不能把自己当英雄，如果自己把自己当英雄必然要走下
坡路。

要有懂资本的人才

蔡崇信，耶鲁大学法学院的硕士毕业生。在纽约有过两年的律师工作经验，后又在瑞典Investor AB风险投资部任亚洲部总裁，主要负责亚洲的投资业务。正因为工作便利，当时的他对中国新兴市场的发展很感兴趣。蔡崇信之所以会加入阿里巴巴，源于他和马云的一次谈判。那时，马云正在为阿里巴巴的发展寻找风险投资，蔡崇信代表Investor AB公司与马云谈投资合作，最终合作没有谈成。在谈判的第4天，蔡崇信突然对马云说："那边我不干了，我要加入阿里巴巴。"当时的马云大吃一惊："你到我这儿来，我养得起你吗？我这每个月可就500元人民币的工资，你还是再考虑考虑吧。"

最开始的时候，蔡崇信的妻子也不同意他辞去那样一份高薪的工作去阿里巴巴，可是在她和马云谈过之后，她也相信了阿里巴巴日后将大有前途。蔡崇信的妻子和马云说："如果我不同意他加入阿里巴巴，他一辈子都不会原谅我的。"在妻子的支持下，蔡崇信毅然放弃上百万美元的年薪加入阿里巴巴跟着马云干，每个月的工资变成区区500元。

当问蔡崇信为什么要放弃百万美元的年薪，而选择阿里巴巴时，他说："组成团队是很大的艺术。当时我在瑞典公司做投资，做得不错，没想到要创业，为什么要来（阿里巴巴）？**阿里巴巴特别吸引我的第一是马云的个人魅力；第二是阿里巴巴有一个很强的团队。1995年5月第一次见面在湖畔花园，当时他们有十几个人。**第一感觉是马云的领导能力很强，团队相当有凝聚力。开始做公司，一个人不容易做起来，有了团队成功的概率会更高。把（阿里巴巴）这个团队和其他团队作比较，这个团队简直是个梦之队，我们团队高层的背景不一样，各有短长，可以互补。马云能认识到别人的长处，了解自己的不足和需要帮助的地方。互相弥补的心态很重要，否则会有怨气和冲突，这是组建团队的关键。这里有一些做事情的人，他们在做一件让我感觉很有意思的事情。做这个人生重大抉择时，没有非常理智的依据，更多地来源于内心的强烈冲动，我喜欢和有激情的人一起合作，也喜欢冒险！所以我就决定来了，如此而已。"

蔡崇信当时的收入，用马云开玩笑的话说就是"可以买下几十个当时的阿里巴巴"。但他放弃了一切，加入了阿里巴巴，这件事情在当时常被人谈起，称蔡崇信所在的投资公司进行的这次投资，是"赔了夫人又折兵"。

在蔡崇信加入的时候，阿里巴巴正在准备成立公司，马云当时对蔡崇信说："就等你这样的人来帮我们成立公司。"马云很看好蔡崇信的工作能力，他对蔡崇信的工作做出过这样的评价："蔡崇信是专门负责与投资人对话的。每当我有一个重大的涉及股东利益的想法时，只要找蔡崇信把话说到他懂就可以了，他会再去找投资人把话说明白的。"

蔡崇信在加入的时候就任CFO，并开始着手注册公司。他为18个创始人准备了一个完全符合国际惯例的英文合同，上面明确了每个人的股权和义务，合同做得滴水不漏。蔡崇信的到来，使阿里巴巴开始真正规范化运作。另外，既精通法律又精通财务，且熟知国际惯例的蔡崇信为阿里巴巴与国际化大公司的合作提供了很大的方便，同时也增强了风险投资对阿里巴巴的信任度。

2002年，马云在宁波演讲时，谈到了一点：成功必定是团队带来的。他说："我一直倡导在中国企业要讲究团队精神，阿里巴巴今天做得非常不错。我是我们公司的说客，我是光说不练的人。我们的团队我觉得非常骄傲，我们公司有4个'O'的团队，下面我把我们公司做的事情跟大家分享。我们COO关明生是我们的总裁，在GE、BTR等全球500强公司做了25年的经理人，英国籍香港人；我们的CFO蔡崇信，瑞典Investor AB公司做投资的，他是法学博士，加拿大籍中国台湾人；我们的CTO吴炯，雅虎搜索引擎发明人，美国籍上海人；我是中国国籍，杭州户口。我们4个人各守一方，现在合作的非常好。**合作都是团队做出来的。如果别人把你当英雄，你千万不能把自己当英雄，如果自己把自己当英雄必然要走下坡路。**"

创业
新视角

资本市场的人才是公司核心人才

在讨论本书27个节点时，我坚持一定要把蔡崇信的加入作为一个单独的节点提出来引起大家的重视。原因有几点：

第一，高盛等这样国际一流的投资机构在1999年投资如此小的公司，蔡崇信起到了极其重要的作用。

第二，在与孙正义的融资过程中，蔡崇信两次说no，得以让阿里巴巴拿到了一个好的投资价格。

第三，阿里巴巴B2B2007年在香港上市，以及后来的一系列战略布局性质的收购兼并都是他起的直接作用。

我与阿里巴巴的许多员工都很熟，但我没怎么见到过蔡崇信。有一个人曾说，世界上很少有一个人如此富有却如此低调。走在大街上不是熟人没有人会认出来。他是1999年加入的阿里巴巴，他的年薪据说当时是百万美元，但他居然加入阿里巴巴，每月拿500元人民币的工资。阿里巴巴的最初股权结构据说是他用手写出来的一个凭据，但这个凭据其实搭建了一个公司清晰的利益分配形式。这一点十分重要，因为创业者往往不会分配股权，往往有许多创业公司在这一点上做得不好让公司全军覆没。但马云真的很幸运，他有了蔡崇信。**我创业后一直想找一位懂资本的人，人家问我找什么样的人时，我说我要找蔡崇信那样的人，朋友们对我说，蔡崇信那样的人不是找来的，而是上帝送来的，是机缘巧合。**

在公司的运作中，有几种人是难以在团队中培养的，一种是懂资本的人才，其他是财务、法律人才。因为这几种人才不仅要懂专业，而且需要经验。一般的公司多半是在上市前引进这样的人才，但蔡崇信在创业的当年加入，极大地加强了阿里巴巴驾驭高额资金，以及多次在国际资本市场融资的能力。还有一些公司很幸运的是夫妻中有一人谙熟资本市场，这样的公司运作上市的能力也会很强，如SOHO中国的张欣来自高盛，当当网的俞渝来自华尔街。

至于蔡崇信当时为什么执意要加入阿里巴巴，我们的确不知道。但我相信，1999年，他一定是看到了未来互联网世界的前景，一定是看到了马云这样一个团队实现这个前景的能力。

蔡崇信说："我在香港，准备去成立一家开曼群岛公司，但在这么做之前，我们要知道哪些人将成为股东。我给马云打了一个电话：'你肯定是创始人，而你还列举了一大堆其他人。在你的公寓里，你也称他们为创始人，但是他们将成为股东吗？你能不能给我发一份即将成为原始股东的名单呢？'随后，我收到一份传真发来的名单，名单上还有很多人，我真的感到很惊讶。基本上，在马云公寓里工作的所有人，从第一天起就成了创始人，这些人都是马云的学生。马云将很大一部分公司股权让给了创业团队。这就是马云，我想这是独一无二的，在其他地方找不到。其他企业家往往会说：'我想尽可能多持有股份，掌控公司。'从第一天开始马云的心怀就是开放的，与人分享的。我真心佩服他。"

最重要的合伙人，往后退一步的合伙人

蔡崇信毫无疑问是阿里巴巴最重要的人之一。

上市之前，阿里巴巴四个董事席位，雅虎一席、软银一席，另外两席留给阿里巴巴，一位是马云，另一位就是蔡崇信。上市之后，招股书里写明，蔡崇信仍占一席董事会席位。在阿里巴巴的合伙人制度中，有两个人是永久合伙人，一个是马云，另一个是蔡崇信。

蔡崇信毫无疑问也是阿里巴巴重要人物中最少接受媒体访问的人之一。

我只见过蔡崇信一次。在日本，淘宝同雅虎日本合作。马云、孙正义、陆兆禧和雅虎日本CEO井上雅博都在新闻发布会上露了面。马云当时还在阿里巴巴B2B上市之后不接受采访的承诺期，发布会结束后没和孙正义一起参加群访。但晚上他来跟我们一起在居酒屋吃饭。还有个男人跟他一起

来了，这个男人就是蔡崇信。从头至尾，都是马云在同大家开玩笑，回答问题。蔡崇信安静地坐在旁边听，脸上挂着笑。结束之后，再陪马云离开。

在一次少见的采访中，他对《福布斯》杂志说："我以前是个律师，懂得如何设立公司，并且能帮助公司筹集资本。我知道自己拥有其他人没有的知识，所以他们在那个方面很信任我。在我擅长的世界里，我感到非常自信、非常自如。我没想过要大包大揽，我知道自己的角色是什么。"

这段话可以清楚地表明蔡崇信在公司的职责和分工。

在早期，是他帮助阿里巴巴明确自己的员工持股制度。早年有报道写过蔡崇信是如何在小黑板上给阿里巴巴的同事们解释股权、期权和财务制度。接下来，是他帮助马云进行每一轮的融资，直到操刀阿里巴巴的两次上市——2007年的阿里巴巴B2B上市和这一次的集团整体上市。

蔡崇信出身于台湾一个律师世家，同时拥有在投资银行工作的经历。这让阿里巴巴无论在面对早期的高盛等投资者，还是随后的软银与雅虎，都可以显得自信和游刃有余。马云和蔡崇信可以对孙正义两次说no，就是这种自信的表现。

另一方面，阿里巴巴始终将蔡崇信隔绝于媒体之外。至今为止，蔡崇信也只接受过少量英文媒体的采访。原因可能是公司认为拥有海外背景的蔡崇信，会让西方媒体感觉到更亲切。但对于包括我在内的很多中文媒体提出的采访要求，阿里巴巴都会礼貌地拒绝，称蔡崇信从来不接受采访。

对于公司而言，如果只能有一个人来代表公司，让所有媒体的聚光灯都打在他身上，让他接受所有的赞誉和毁谤，让他成为公司的象征物来接受所有针对公司的批评与指责，那么这个人只能是马云。这是创始人的宿命，也是创始人的责任，哪怕他最重要的合伙人也替代不了这个角色。因为对于公众舆论而言，公司只能用一个声音讲话，太多的声音，只会让这个公司的形象变得模糊。

马云找到了蔡崇信，并充分信任他在财务与资本上的能力；蔡崇信加入阿里巴巴，能在这样一个全球性公司的萌芽期就加入，这是命运对他们双方的眷顾。但这种好运气也必须加以克制。在几乎所有需要聆听阿里巴巴的声音的时候，蔡崇信都会安静地向后退一步，这正是克制。他和阿里巴巴都知道，他扮演的最重要的角色是什么。

节点6
1999年10月，第一次
融资：高盛

找投资者比找老婆还难，一定要小心，不光要找漂亮的，关键是她要跟你同甘共苦，在最困难的时候她说我跟你一起奋斗，这是最重要的。

如何取舍融资

阿里巴巴在1999年10月第一次融资成功之前，曾前前后后拒绝了38家投资机构。马云挑剔风险投资的程度甚至高于风险投资挑剔项目的程度，他希望找到一位策略投资者。这个投资人必须对阿里巴巴的长远发展有信心，不会轻易将手中的股票卖掉。在寻找投资者的过程中，马云切实体会到筛选投资者的重要性，他说："找投资者比找老婆还难，一定要小心，不光要找漂亮的，关键是她要跟你同甘共苦，在最困难的时候她说我跟你一起奋斗，这是最重要的。"

马云在挑剔投资人的同时，也有投资人在不断地拒绝他们。1999年，马云曾带着阿里巴巴CFO蔡崇信到美国旧金山融资，7天时间里他们见了40多位投资人，全都遭到了拒绝。当时阿里巴巴的商业模式并不被看好。虽然阿里巴巴中英文网站注册会员分别突破了10000人，会员总数超过20000人，但阿里巴巴的盈利模式是不清楚的。他们遭到了投资人的质疑，没有人愿意给他们投资。

在融资方面高不成低不就的时候，蔡崇信与高盛一位旧识的偶遇促成了阿里巴巴第一次500万美元的融资。当时蔡崇信负责国际市场的业务拓展、推广及公司的财务运作。1999年8月的一天，蔡崇信正在酒店里与一家投资商谈判，在中途休息的时候，他在酒店大厅里遇到了当时任职高盛公司的一位老朋友，这位老朋友在高盛公司的职务是香港区投资经理。二人叙旧闲聊中，蔡崇信从朋友口中得知，由于全球互联网经济的热潮，高盛也开始关注互联网行业，有意向中国进行一次尝试性的投资。听到这个消息后，蔡崇信立刻意识到这对阿里巴巴来说是一个千载难逢的机会。

经过这位朋友的引荐，高盛公司在了解了阿里巴巴的基本情况后，决定派人到中国对其进行考察。经过考察，高盛认为阿里巴巴很有发展前景，便开始与阿里巴巴谈判投资事项。高盛的谈判条件比较苛刻，当时虽然处于互联网热潮期，但阿里巴巴急需用钱，所以谈判空间比较小。

但马云在权衡利弊之后，毅然选择了高盛公司。马云选择高盛，一方面，是因为它是世界知名的投资银行，这对阿里巴巴未来的融资和在媒体上的知名度都有帮助；另一方面，谈判时高盛也表现出了对阿里巴巴的长远信心。马云说："不光是资本在挑选目标企业，我们也有自己的取舍。对那些不能与公司战略兼容的资金，我们一般不接受，而和聪明人在一起，你不用说什么废话，他就能听懂你的业务模式。"

经过谈判，高盛偕同富达投资（Fidelity Capital）和新加坡政府科技发展基金、Investor AB等向阿里巴巴注资500万美元，给这个创始资金仅50万元的新创公司注入了新血。高盛当时的500万美元可谓帮助阿里巴巴度过了创业初期的寒冬。据媒体报道，此轮投资人共获得阿里巴巴40%的股权。阿里巴巴获得了其历史上第一笔"天使基金"。

阿里巴巴与高盛的合作是顺利愉快的。在高盛投资阿里巴巴4个月后，阿里巴巴又拿到了第二笔投资——软银进入阿里巴巴。从软银投资时阿里巴巴的估值来看，在短短的4个月里，高盛的投资就增值了4倍。在1999年底，阿里巴巴会员数达到8.9万。

在2001年的厦门会员见面会上，马云聊起了如何取舍融资："融资，我们也走得不错，那时候互联网融资还比较容易，有些人为了钱，可能放弃一些条件。阿里巴巴那时很坚持，我们挑选投资者，不是投资者挑选我们，我拒绝了38家投资者。我现在还记得很清楚，第一家来找我的投资者，是家国有企业，他跟我说：'你们要风险投资，我给你们100万，明年你给我120万怎么样？'我跟他说：'我给你100万，你明年给我120万怎么样？'那时国有企业对风险投资的意识还没有建立起来。有些风险资本进来，他们考问我很多，你们现在怎么做，将来怎么做……等他们考问完我以后，轮到我问他们：'你倒说说看，除了钱以外，你还能给我带来什么东西？'他们如果说不出来，我就会把他们拒绝掉。"

创业
新视角

蔡崇信的加入为投资打下了基础

1999年正是互联网泡沫最高潮时，也就是说是最容易找到投资者的时候。此时马云和蔡崇信来到旧金山硅谷融资，一周时间与几十位投资人见面却一无所获。马云在前三次创业中，并没有与国际投资者打交道的经验，此时的阿里巴巴一是不知道怎么赚钱，二是获取用户的难度极大，此时的蔡崇信就更显重要。最终第一笔融资是蔡崇信与一位在高盛的熟人接洽后促成的，阿里巴巴获得了500万美元的风险投资。我们看到在投资机构中还有蔡崇信原来的老东家瑞典Investor AB，我们可以想象蔡崇信的背书起了多大的作用。

第一笔投资的重要性

第一笔投资通常会为创业公司的起飞打下重要基础。从第一笔投资开始，就决定了阿里巴巴的国际化，加上做的业务又是中小企业的贸易，马云本人又是英语教师出身，自己会讲英语，阿里巴巴注定会在一个国际化的舞台上跳舞。从某种意义上说，投资机构的进入，也在某种程度上决定着阿里巴巴的基因。有意思的是这两家机构在获利10多倍时就退出了阿里巴巴，也许是基金的年限要求所致，在今天阿里巴巴上市之日这两家机构不知道该作何感想。

阵容豪华的投资人

1999年10月，阿里巴巴获得了第一笔500万美元的投资。这笔投资在今天看来数额并不大，投资者的阵容却堪称豪华。这笔投资由高盛领投，参与者有富达投资、新加坡政府科技发展基金和Investor AB。其中，高盛集团是全世界著名的投资银行之一，富达投资集团是全球最大的基金公司。

我们现在所能看到的资料显示，阿里巴巴会对风险投资表现出挑剔的眼光。马云总是在强调他不仅仅想要拿钱——这种语调马云直到今天也没有改变。在谈到融资时，他的观点总是：世界上最不缺的就是钱，缺的是能用资本创造价值的企业家和企业家精神。

阿里巴巴成立不久就拿到第一笔投资，融资速度其实并不慢。而且，投资第一笔钱的投资机构名单，也可以佐证关于马云挑选投资者的论调。

不会有人怀疑高盛集团和富达投资是短视的投资者。这两个名字本身就可以说是资本市场的符号。

这个名单很容易传递给媒体和公众这种印象：它们太过强大，以至于当然不会短视；接下来的逻辑自然是它们看好阿里巴巴的长期发展。这是阿里巴巴为自己找到的背书。

不过，今天我们在阿里巴巴的股东名单中，已经找不到高盛的名字了。《纽约时报》的一篇报道说，2003年时，高盛的私募部门开始对中国的创业公司失去信心，开始出售手中持有的阿里巴巴的股份，"当时不可能想到阿里巴巴会变得像现在这么成功。很多像阿里巴巴这样的公司，经过很长时间也没能成功。"《纽约时报》的一个消息源这样说道。

但是，即便高盛未能对阿里巴巴持有长远的信心，它最初的加入仍然使阿里巴巴可以对媒体讲述一个好故事：全世界最好的投资银行看好阿里巴巴的长期发展。它让外界对这家初创公司刮目相看。

2000年1月，软银孙正义投资阿里巴巴

永远不要让资本说话，让资本赚钱。让资本说话的企业家不会有出息，最重要的是你让资本赚钱，让股东赚钱。如果有一天你拿到很多钱，你坚持今天的原则，做你认为可以赚钱的，我相信有一天资本一定会听你的。

理想的投资人

在阿里巴巴第一次融资成功之后，资金对阿里巴巴来说短期内已不再是问题。但是这时另外一个著名的投资人找上门来：软银创始人孙正义。

马云与孙正义的见面后来被描述成一个特别戏剧化的场景。马云在1999年10月的一天，收到了摩根士丹利亚洲公司资深分析师古塔的一封电子邮件，说有一个人想和他见面，建议他去见见。当时马云刚获得高盛500万美元的风险投资，正忙于阿里巴巴的建设，便忽略了这封邮件。几天过后，古塔又打电话催促马云，并一再强调这个人对阿里巴巴未来的发展非常重要，要马云一定重视。被古塔说得动了心，马云决定前往北京见一见这个神秘人物。

来到北京后，古塔才告诉马云这个神秘的人物就是孙正义。在此之前，孙正义已经投资了新浪、网易等互联网公司，并获得了可观的回报。此时的孙正义正在北京富华大厦召开一个投资人与经理人的见面会。马云与孙正义的见面被安排在10月31日。刚刚完成一轮融资的马云可以说并不缺钱，他可以用第一轮融资的资金支撑公司运营一段时间。所以他们谈话的时候，马云并没抱着融资的想法，而只是介绍了一下他未来想做什么。

马云仅说了6分钟，在对阿里巴巴完全没有实地考察的情况下，孙正义决定向阿里巴巴投资4000万美元，但是他要求占有公司49%的股份。见完孙正义，马云从北京回到杭州。与此同时，孙正义的团队也到了杭州。20天后，马云接到孙正义的邀请，赴日本东京与孙正义继续商谈投资事宜。

第二次会面，马云提出了3个条件：一、阿里巴巴只接受软银一家投资，不再希望其他投资人进来；二、软银作为股东，不能只看眼前利益，不顾阿里巴巴的长远打算，必须以阿里巴巴的发展为重心，也就是说孙正义不要过分干涉阿里巴巴的运营事项；三、请孙正义担任阿里巴巴的董事。最后，孙正义投资3000万美元，占阿里巴巴30%的股份，但是拒绝了出任董事的要求，只同意担任阿里巴巴顾问。

但是在马云回杭州后，经过冷静思考，他为在日本的决定后悔了："我要那么多钱干什么呢？真是太愚蠢了。"马云担心软银持有阿里巴巴的股权比例过大，管理层股权稀释后失去话语权。他立刻开始了同软银的重新谈判，马云跟孙正义商量，表示只需要2000万美元，钱太多在某种层面上来讲会是坏事。最终孙正义同意2000万美元的投资。这对孙正义来说是投资经历中让步最多的一次。2000年1月，软银联合富达、汇亚资本、日本亚洲投资、瑞典投资、TDF等6家机构，共同向阿里巴巴投资2500万美元，领投的软银自己砸下了2000万美元。

2000年硅谷互联网泡沫破灭，纳斯达克科技股纷纷大跌，此时再从市场上融资已经非常困难。但是凭借着共计2500万美元的两笔融资，阿里巴巴度过了随后而来的互联网寒冬。

马云时刻保持高度清醒，他知道钱是工具，不是目的，就好像他在

《赢在中国》的节目中对选手说的那样："永远不要让资本说话，让资本赚钱。让资本说话的企业家不会有出息，最重要的是你让资本赚钱，让股东赚钱。如果有一天你拿到很多钱，你坚持今天的原则，做你认为可以赚钱的事，我相信有一天资本一定会听你的。"

有钱时拿钱才容易

这看起来是一个悖论，但却是一个有用的道理。在高盛投资阿里巴巴500万美元两个月后，软银要投资阿里巴巴，但这次投资并不是找投资人获得的，而是马云跟孙正义的一次见面。他讲了自己对互联网的理解和对电子商务未来在中国的发展。六七分钟后孙正义就听懂了，马上要马云拿4000万美元，马云竟然说不行。为什么孙正义在那么短时间内就决定给他钱，有两个最重要的原因：一是马云要做的事情是让孙正义完全看到了未来前景的事，对互联网未来的看好是孙正义超出普通投资人的最重要原因。二是当时的马云并不是以一个急需钱的创业者的身份出现的，因为此时他口袋里已经有高盛等机构投资的500万美元，所以他在跟孙正义讲时，是一个正常的交流互联网前景的状态。这样一个轻松的状态让他没有心理负担没有压力，交流起来轻松自如。在这种状态下当然能完整地表达自己的想法。

其实除了这两点，还有一点是孙正义的决断能力，这一点在2002年《对话》栏目采访他时，在贵宾间跟他相处的短暂时间内就有此感觉。当技术人员给他戴话筒时，他还在打电话，最后一句我听见好像是在决定一笔投资，他果断地说："就是两个亿了。"他的神情非常坚决，没有犹豫，没有停顿，每一句话后面都是句号，没有省略号。话筒戴好后他的电话还没有结束，他的随行人员怕我认为他不礼貌，说了一句对不起，他正在处理一个重大投资。我当时很吃惊，难道这样大的投资项目不需要一个会议吗？这么随意？

马云把他与孙正义的见面描述成一见钟情，他们是相互的灵魂伴侣。他说自己看起来聪明，其实不聪明，而孙正义看起来不聪明，其实是真聪明。马云说孙正义的谈判技巧极高，一般不讲话，一讲话就把你撂倒了。

一个看清电子商务未来发展方向的人，一个极有决断能力的人——孙正义成为了阿里巴巴的投资人。这个意义的重大，我们在之后淘宝网的创立这个节点上将重点讲到。

蔡崇信的才能再次发挥巨大作用

自见过孙正义后，马云与CFO蔡崇信赴日本与孙正义面对面做了一轮谈判，孙正义再次坚持4000万美元。马云听完出价后心潮澎湃，觉得应该是这样了，但蔡崇信说no，吓了孙正义一跳，最后调整到3000万美元。回来后马云进一步反悔只要2000万美元，不难想象这个调整中蔡崇信的意见起了主要的作用。如果那个时候要了4000万美元的话，阿里巴巴的股份会被稀释更多。不仅如此，蔡崇信调整融资额度对阿里巴巴的格局是有利的，这一点，作为创业者马云的经验肯定是不如资本市场有运作经验的人的。

我们看到，许多创业者在创业找投资时都没有与投资人打交道的经验，更不懂平衡各个投资人之间的关系，掌握团队利益与投资人利益的比例。创业者不是全才，他需要找方向、建立团队、找盈利模式，会了这些，还会找钱的人基本没有，除了那些从投资机构出来，转行创业，或者CFO出身的人。可以说，极少的创业者在找钱上是擅长的，而这一缺陷常常带来创业公司犯重大的不可更改的错误，如果我不自己亲自创业的话，是完全读不出这点的重要性的。

在写这段点评时，我把马云在《赢在中国》中的演讲看了好几次，他在这个演讲中有一句话夸赞了他的CFO，但一般的听众就像我原来听这段一样，不会注意这一句，但在今天，我深深懂得这一句话对马云的意义。像蔡崇信这样的人不可能在公司内部培养出来，只能从公司外部找，但多半公司找的时候已经是快要上市了，他们来的目的就是准备上市。而前期创业者把该犯的错误已全部犯过了，也付出了惨重的代价，而有些投资上的错误根本不可逆。1999年刚开始创业才几个月的马云就有一个在国际投资机构工作过的蔡崇信，这让马云的创业会少走很多弯路！

又一个媒体"神话"

阿里巴巴拿到第二笔投资的过程今天已经被渲染为一个"神话"。一个创业投资的神话。就像硅谷流传着的著名的"餐巾纸"神话一样：创业者在咖啡馆的餐巾纸上涂涂抹抹，写下自己的创业想法和商业模式，然后拿到了风险投资。

马云的这个"神话"是用6分钟赢得孙正义2000万美元的投资。

"孙正义和我说的第一句话是：'说说你的阿里巴巴吧！'于是我就开始讲公司的目标，本来准备讲一个小时，可是刚刚开始6分钟，孙正义就从办公室那头走过来：'我决定投资你的公司，你要多少钱？'"

如果你创办了一家互联网公司，而在2000年前后想要有一个最理想的互联网投资人，除了硅谷的风险投资大师约翰·杜尔和迈克尔·莫里茨（他们投资了雅虎和谷歌）之外，非孙正义莫属。

马云曾被媒体称为"Crazy Jack"，疯狂的杰克，而孙正义的疯狂程度不亚于他。

孙正义可能是当时全世界最知名也最疯狂的互联网投资人了。他的软件银行持有上百家互联网公司的股份，其中最知名的是雅虎。他讲述过自己在1995年投资雅虎的疯狂过程："有一天，有个朋友找到我，说几位刚刚从美国留学归来的中国学生想见我，并想请我给他们一部分时间听听他们关于创业的想法。我尊重所有有斗志的年轻人，更尊重他们的智慧，我去了，30分钟，我只是聆听了30分钟，便做出了令所有人震惊的决定。我先后投资了3.6亿美元，给了这几位年轻人创办的还没有一分钱利润的互联网公司，所有人都说我疯了，其实我知道，这仅仅是我微笑的开始。"

今天我们可以说，投资阿里巴巴也是孙正义微笑的开始。

等到马云在1999年10月坐到孙正义面前时，孙正义已经是全世界最富有的人之一了——拜互联网繁荣或互联网泡沫所赐，孙正义的个人财富甚至一度短暂超过比尔·盖茨，成为世界首富。今天，已经有媒体在说，等到阿里巴巴集团上市之后，孙正义极有可能再次问鼎世界首富。

当时和之后很长一段时间内，孙正义对阿里巴巴和马云的价值之巨大，无论如何描述都不为过。

首先是孙正义的投资策略。马云自己说过："从孙正义投资阿里巴巴至今，一直十分信任我，几乎没有干预过企业的相关事务。他和我的理念一样，就是要赢在未来，对阿里巴巴做长期的战略考虑。我常在电话中和他开玩笑，阿里巴巴如果缺钱，我第一个电话肯定打给你。他说，你当然应该打给我啊。"

首先，他符合马云对理想投资人的要求：目光长远，关注公司长期发展；不差钱，因此不会在短期内要求套现。

其次，孙正义在全世界范围内编织的互联网人脉，以及孙正义对互联网的理解，对阿里巴巴的发展都大有助益。此后淘宝的创办和雅虎投资阿里巴巴，都跟孙正义有很大关系。

最后，孙正义的投资比高盛的投资还要有说服力：阿里巴巴会成为一家成功的互联网公司，尽管在当下它还没有盈利，还遭受着很多质疑。

马云一直是一个优秀的故事讲述者。而孙正义的投资为他提供了一个再好不过的故事：6分钟赢得全世界最成功的互联网投资人千万美元的投资，而马云和阿里巴巴对此还犹犹豫豫、推三阻四。

而且，孙正义的认可，背后还有一个隐含的对比：当时全世界最成功的互联网公司雅虎也是由孙正义投资的；而孙正义投资雅虎时，杨致远和马云一样，拥有更多的还只是斗志、想法和雄心。

这个完美的"故事"，还会继续流传很久。

节点8

2000年，首次危机，裁员

战略不能落实到结果和目标上，都是空话。一个正确的制定战略过程，首先要做正确的事情，再有就是正确地做事。你做正确的事，就可以事半功倍，如果你做的事情是错误的，后边做得越正确，死得越快。

扩展规模时最容易犯错

2000年1月，通过先后两轮融资，马云手握2500万美元"巨资"，一扫之前受困于资金的窘迫。接下来就是花钱的问题了。

首先是换办公室。自阿里巴巴创立以来，所有人都窝在湖畔花园150平方米的住宅里办公。公司搬家成了马云拿到资金之后做的第一件事情。马云选定的新办公室是离湖畔花园不远的文三路上的华星科技大厦。华星科技大厦刚刚竣工不久，因此租金也相对便宜。马云原本想租下一整层楼，但遭到了团队的反对，大家认为用不了这么大的面积，是铺张浪费，于是马云放弃了自己的想法。但没过两个月，阿里巴巴的员工就突破了300人，刚租来的办公室又拥挤起来。再想租时，华星科技大厦已经成了炙手可热的写字楼，没有一整层空闲楼层了。结果阿里巴巴的办公地点就分布在了3层、8层和9层三个不同的楼层。之后的7年，阿里巴巴的员工就一直这样在这栋楼里办公。

第二件花钱的事情是快速扩张。马云要将阿里巴巴变成全球化的公司，做成世界上最大的电子商务公司。于是，马云在中国香港和英国都设立了办事处，在硅谷成立了研发中心，在日本、中国台湾、韩国成立了合资公司。再后来干脆将总部搬到了香港。快速地扩张为阿里巴巴赢得了很高的关注度，但同时，全球化带来的是人力成本的不断飞升。硅谷20人的研发中心，成本要比杭州公司的200人高出好几倍，每个人的年薪都是美元6位数以上。

紧接着，公司还没能盈利，发源于硅谷的互联网泡沫却破裂了，纳斯达克指数一路狂泻。与之相伴的是投资者们开始捂紧钱袋。在互联网行业，就算以前谈好的风险投资也都一一告吹。这时阿里巴巴账上只剩下不到700万美元。CFO蔡崇信告诉马云："如果按之前的模式这样一直走下去，维持半年都是个问题。"

危机来了。为了保住阿里巴巴，马云决定停止扩张，收缩战线，降低成本，全球大幅度裁员，靠剩下的资金活得时间越长越好。从杭州到硅谷，所有年薪6位数以上（美元）的员工全部裁掉。阿里巴巴在硅谷的30个工程师只留下3人，30人的香港办事处仅留下8人，韩国站点彻底关闭，北京办事处的员工裁掉一半。另外，马云还采取了零预算的政策，广告预算为零，出差住三星级宾馆。阿里巴巴这一次的"壮士断腕"行为，后来被马云称为"回到中国"。

阿里巴巴的这一次挫败，成为当时的焦点，很多报纸杂志都刊登了关于阿里巴巴退回国内的一些看法。一篇文章是这样写的："无数的IT企业员工在今年度过了一个难忘的夏天，一个接一个地拿到了'粉色传票'——下岗的命令。在互联网最艰难的时候，阿里巴巴也收缩海外战线，回到中国，把总部从上海撤回了杭州，实实在在地做事。"

马云采取的方法暂时缓解了阿里巴巴的危机，为马云赢得了一些喘息的时间。但这大大影响了阿里巴巴员工的士气。在2001年的一次大会上，马云鼓舞士气说："不要因为公司的不完善，公司的漏洞而失去信心；也不要因为公司取得的社会地位而飘飘然，盲目乐观。大家要意识到，我们今天做得很难，明天还会更难，将来碰到的问题只会更多。对我们年轻的团队来讲，最重要的变化是互联网产业从天堂跌到了地狱，我们也从游击战士转为了正规军。这是对我们激情的真正考验。"阿里巴巴的早期员工说："马云就像是个教父，用思想、理念引导着我们这群人前进。"

"回到中国"后的阿里巴巴调整了战略，放弃了很多业务，专注于为中小企业提供B2B贸易服务。马云说："战略不能落实到结果和目标上，都是空话。一个正确的制订战略过程，首先要做正确的事情，再有就是正确地做事。你做正确的事，就可以事半功倍，如果你做的事情是错误的，后边做得越正确，死得越快。"马云后来总结这一次失败的原因时说道："互联网上的失败一定是自己造成的，要不就是脑子发热，要不就是脑子不热，太冷了。"

创业新视角

没有盈利模式时有很多员工是危险的

当马云拿到两笔风险投资后，手里有2500万美元，是两亿元左右的人民币。拿到这个钱当然是为了公司的发展，但是怎么发展却是个难题。此时的阿里巴巴并无清晰的赚钱或者获取用户的思路。公司发展思路不清晰时人越少越好，真正找到思路了，也知道找什么样的人，把这些人用在何处。一般说来，拿到了投资人的大笔钱后，会因为各种原因扩张规模。在所有的创业公司发展中，扩张规模时是最容易犯错误的时候，而这时犯的错还都是不小的错误。2011年，我曾经就公司发展请教马云时，我说我的公司今年人数会增加到136人的样子，他一听完就说，你把人砍三分之一下去。我说没有理由吗？他说没有理由，就去砍。他说一个公司管理人员永远在说缺人，谁都知道人多了活就少了，人就舒服了，很多刚成立的创业公司的KPI制度没有完全建立起来，所以一般来说，在这种情况下人肯定是多的。他说人多财务成本高，这并不是主要的，重要的是那些闲人会让全心全意投入加班加点的人感到不平衡，久而久之，公司的文化风气就不行了。我回来后在4个月内把优米网110多位员工降到80多位，工作量仍然是原来的工作量，但运转正常。**这件事情给我的触动很大，马云当时给我的这个建议不仅节省了公司的成本，对于创业公司来说，这几十个员工的成本不是小数字，更重要的是这种改变对公司文化价值观的贡献。**

中国公司国际化步骤必须谨慎

2000年阿里巴巴无论在发展方向还是盈利模式上都还处在探索阶段，应该说在国内还没有站住脚，此时把分公司建在那么多国家，无论从哪方面看都是发热之举。

首先，管理是最大的问题，如果当地国际化的团队没有可靠的领导来管理，他们与总部的关系一定会产生问题。其次，在阿里巴巴18位员工中除了蔡崇信是国际化人才，其余的员工在那个阶段基本不具备管理国际化团队的能力。无论把总部放在香港还是放在上海，这些举措都与当时阿里巴巴的水准不相称。说老实话，不要说是2000年，就是10多年后的今天，中国公司国际化的能力仍然比较弱。2012年我参加了硅谷地区一个几家大的中国互联网公司在那里的一个聚会，其中也有阿里巴巴在美国工作的员工。即便12年后，各大互联网公司的国际化团队相比本土的实力差距仍然很大。中国公司国际化的道路是一个太大的话题。在2000年，阿里巴巴还只是一个成立一年的公司，这个公司的根还未扎下来，可以肯定的是，这个根不能扎在海外！

2000年后半期，互联网的泡沫来临了，如果当时没有及时的全球大裁员，阿里巴巴很难度过后面这段最困难的时期。CFO蔡崇信在马云大裁员前曾认真地对他说，如果按照现在这样的速度花钱，阿里巴巴半年就要关门。蔡崇信是当时马云创业团队中最能跟马云平等交流的人，其他的人基本上都是跟从型、学生型。一个团队中若有一个这样的人，他可以从财务的角度在最关键的时候给出最真实、最中肯的提醒，这是最最难得的创业合伙人。许多创业者由于周围没有他信服的，又能时时了解情况的人提醒，或者一起决策，很多时候就把企业的前程葬送掉了。其实一个刚刚创业的公司死掉是很容易的，有各种各样的死法，但是最后呈现的都是资金链的断裂！当时马云做出这个决定是在大年三十做的，可见当时的紧急程度！

泡沫的遗产，示弱的艺术

2008年次贷引发的金融危机发生之后，马云可以自豪地宣称，自己早已嗅出了危机的味道。当时，在我们的一次谈话中，他称自己已经是一位经验丰富的船长，可以敏锐地根据海上吹来的风，预判到危险的来临。

他可以这么说，因为毕竟他已经经历了一次世界性的经济危机，而且是直接影响到阿里巴巴的经济危机。他带领着自己的公司幸存下来，并且进一步变得强大。正像尼采所说的那样，所有没有杀死你的，只会让你更强大。

当然，我们没有办法假定，如果硅谷的互联网泡沫不破灭会是什么样的情景：马云继续按照自己狂飙突进的模式去发展阿里巴巴，当CFO蔡崇信指出所剩资金只能维持半年时，阿里巴巴再去市场上进行新一轮融资支撑自己的扩张。结果可能会是好的，马云更早地实现他做世界上最大电子商务公司的目标；也有可能是差的，阿里巴巴终于难以平衡好速度和资金，以悲剧收场。

在公司还不到两年的时候就经历这样一次危机，其好处也是明显的。它可以让公司的掌舵者对市场存有敬畏之心，开始留意经济的周期变化；它可以让领导者更好地去把握公司发展的节奏感；当然，也逼迫着他开始思索盈利的问题。

抛开这次危机，马云在媒体上可以说是风头出尽。

2000年初，凭借先后两轮融资得到的2500万美元，马云认为自己可以一展宏图。他选择了主动出击。他提出的"做世界上最大的电子商务公司"的公司愿景，以及在硅谷设立研究中心、在多地成立合资公司，并将总部放到香港的做法，都已经显现出马云要做一家世界级公司的雄心。他的雄心和他的举措，当然也会为他吸引来媒体的注意。

在这一年的7月，马云登上了《福布斯》杂志全球版的封面。这也是中国大陆的商业人物第一次登上这本知名商业杂志。《福布斯》的选择让中国媒体也惊讶不已。当时中国国内的商业媒体仍然将包括《财富》《福布斯》《华尔街日报》和《金融时报》在内的国际媒体作为自己的榜样。这些国际一线媒体在中国媒体界拥有的声望异常高。我们这些媒体人几乎都是以仰视的姿势在看待这些国际媒体。

同一年的10月，我们还可以看到，马云被世界经济论坛评选为全球100位未来领袖之一。

当然，媒体上也并非一片赞扬之声。当硅谷的互联网繁荣被指责为泡沫时，马云也受到了追问。在CNBC和CNN的访谈节目中，主持人就在一个劲儿地问阿里巴巴要靠什么来盈利。

这是泡沫的遗产。泡沫时期阿里巴巴的雄心壮志和疯狂扩张，帮助马云扩大了国际影响力。而世界权威媒体的报道，包括世界经济论坛授予的未来领袖荣誉，一方面，会继续给马云在西方世界的形象加分，另一方面，也起到了影响国内媒体的作用。马云成为50年来首次登上《福布斯》封面的中国大陆商业人物就引发了国内媒体的广泛报道。（当然，这一年，马云还成功地用"西湖论剑"确立了自己在国内互联网江湖上的地位。）

甚至危机也会为马云在媒体上的形象加分。因为马云后来聪明地在媒体上谈论起自己遭遇的危机。如此一来，阿里巴巴的裁员和收缩没有被理解为这家公司在走向衰落。恰恰相反，公众舆论会感慨马云和他的团队非常有领导力，能够在危机到来时果断决策，承认自己的错误，收缩战线求生。这是示弱的艺术。

节点9

2000年9月，西湖论剑，打造企业文化

何为笑傲江湖？"笑"，有眼光、有胸怀才能笑；
"傲"，有骄傲才能傲，网络就是江湖。网络是非常不景
气的，我这些年走过来，听到很多人骂阿里巴巴一分钱不
赚，什么也没练好，皮倒是练得很厚。自己在"外练一层
皮，内练一口气"。1995年做网络，人家认为我们是骗
子；1997年提出中国黄页，人家认为我们是疯子；现在人
家认为我们是狂人。不在乎别人怎么说，坚持自己是对的
就做下去。冤枉、误解，在网络中是很正常的。我自己觉
得，皮倒真是越练越厚了。

造　势

　　"西湖论剑"是阿里巴巴集团提升自我品牌形象的营销活动。在阿里巴巴成立初期，知晓阿里巴巴的人不算多。马云曾回忆说："1999年、2000年、2001年，大家很少在中国市场上听到阿里巴巴的名字，我们的基本活动是在欧洲和美国，在欧洲和美国作了很多演讲。我记得最惨的一次演讲是2000年，我们在德国组织一次演讲，1500个座位结果只来了3个人，我也很丢脸，但是我觉得这没有办法，只能一个人跟他们讲。"因此，为了提高阿里巴巴的影响力，马云试图策划一场活动来扩大阿里巴巴这个品牌在市场上的号召力。

　　从小酷爱武侠小说，尤其是对金庸的武侠小说爱不释手的马云，在经商处事中总是夹带着金庸的武侠气息，无论是战略、战术还是管理。1999年，马云从北京撤回杭州，创办阿里巴巴就是受了《天龙八部》中虚竹破解"珍珑棋局"的启发——置之死地而后生。甚至连公司的价值体系，都先后被称为"独孤九剑"和"六脉神剑"。"独孤九剑"是指：群策群力、教学相长、质量、简易、激情、开放、创新、专注、服务与尊重，而"六脉神剑"则是：客户第一、团队合作、拥抱变化、诚信、激情、敬业。

　　所以，马云灵光一闪，想到要将互联网行业的佼佼者请到杭州，效仿武侠小说中的"华山论剑"，来举办一场"西湖论剑"。所谓"西湖论剑"，就是邀请IT界的知名人士来到西子湖畔，共商发展大计。但当时的阿里巴巴是一家名气不够的小公司，马云为了扩大号召力，请来金庸主持这场"西湖论剑"。金庸是大名鼎鼎的武侠作家，号召力自然不容小觑。作为金庸的粉丝，马云从小熟读金庸的武侠小说，阿里巴巴的办公室，全是武侠小说里的武林圣地："光明顶""达摩院""桃花岛""罗汉堂""聚贤庄""半山亭""侠客岛"等，甚至连洗手间都叫"听雨轩"。马云那个叫"光明顶"的会议室，挂着金庸书写的"临渊慕鱼，不如退而结网"。

2000年7月29日，马云在香港终于见到了自己崇拜多年的偶像。临别，金庸为马云手书：神交已久，一见如故。几周后，马云就打电话给当时阿里巴巴的公关负责人Porter，意在举办一次"江湖论道"。金庸表示会欣然前往。

2000年9月首届"西湖论剑"在杭州举行，有了金庸这块"活招牌"，马云筹划的"西湖论剑"立刻声名大震。马云打电话邀请北京时代珠峰科技有限公司（my8848）董事长王峻涛，王峻涛答应前来；网易的CEO丁磊也是金庸迷，听闻也立马答应参会；没怎么读过金庸名著的张朝阳也给自己找了个参会论道的理由："去，一定去，正好可以借此次机会补上武侠传奇这一课。"

9月10日这天，74岁的金庸来到西子湖畔，前来赴会的有新浪的王志东、搜狐的张朝阳、网易的丁磊、8848的王峻涛、加拿大驻华大使、英国驻沪总领事及50多家国际跨国公司在华代表。这一天不仅是阿里巴巴成立一周年的日子，也是可以在中国互联网年鉴上记上一笔的日子，数以千计的网民从全国各地来到香格里拉饭店，成为天堂硅谷网络峰会的座上客。比他们热情更高的是来自国内外的上百家媒体记者，最远的来自美国华尔街。网民的眼球和媒体的镜头同时聚焦于这次大会上。这在互联网史上还是第一次。

马云在这一次的"西湖论剑"上的讲话也是精彩连连："金庸作品里面的义气，我是断章取义。我买过四五套金庸的书，也买过盗版的，上次在香港吃饭，请金庸签名，结果拿出来一看是盗版，很惭愧。因为看得确实比较多，每次看完就忘了，忘了才能再看。最近五年来第一次在马尔代夫度假，睡了3天，醒了就看《笑傲江湖》，这套书认真看了3天。

"何为笑傲江湖？'笑'，有眼光、有胸怀才能笑；'傲'，有骄傲才能傲；网络就是江湖。网络是非常不景气的，我这些年走过来，听到很多人骂阿里巴巴一分钱不赚，什么也没练好，皮倒是练得很厚。自己在'外练一层皮，内练一口气'。1995年做网络，人家认为我们是骗子；1997年提出中国黄页，人家认为我们是疯子；现在人家认为我们是狂人。不在乎别人怎么说，坚持自己是对的就做下去。冤枉、误解，在网络中是很正常的。我自己觉得，皮倒真是越练越厚了。

"钢铁是怎样炼成的？我们做网络，各种各样的投资者都有自己的看法，有员工对我们的看法，也有评论界。特别是互联网的评论家，中国的互联网评论家数量远远超过世界上任何国家，而且他们的积极态度也是超过任何地方的。我们看网上网民的各种评论很多，评论家多了，这个模式行，那个模式不行，众说纷纭。网络现在的变化非常之快。半年以前B2C刚刚热起来，过了3个月突然说B2C不行了；做B2B，B2B还没弄清怎么回事，又去做基础设施；变成ASP；现在ASP没搞清楚，又不流行了。这就是网络不断地在变化，如果变化过程当中太在乎别人怎么评价你，你可能真的什么也做不好了。"

第一次"西湖论剑"之后，不仅奠定了马云在中国IT行业的影响力，同时也极大地扩展了阿里巴巴的品牌效应。从2000年第一届"西湖论剑"开始，此会议便慢慢成为一个在行业内有影响力的公共事件。次年第二次"西湖论剑"召开，这一届马云又有了新的"收获"：杭州市政府把这个论坛加入到了西湖博览会的行列中。

2005年的第五届"西湖论剑"，正值互联网产业迎来它的第二个快速发展期，借用新浪总裁汪延的话来讲："互联网产业正在迎来第二个春天，一个扎扎实实的春天。"美国前总统克林顿做完宏大而全局性的演讲之后，"西湖论剑"迎来了真正实质意义的论剑阶段。北大学者张维迎主持圆桌对话，将新浪CEO汪延、搜狐CEO张朝阳、腾讯CEO马化腾以及网易CEO丁磊请到前台，侠客相会，论剑说道。而东道主阿里巴巴CEO马云则坐在台下，静观虎斗。此时的"西湖论剑"已变成了名副其实的，全球互联网巨富智慧交锋的盛会，它所探讨的内容无论是从互联网产业，还是对整个的世界互联网发展，对行业内的人都是有借鉴意义的。马云曾表示"西湖论剑"要不定期地办30届，具体形式会根据当年或者过去一年的网络发展来办。

另外，在2001年，阿里巴巴进行大规模的海外扩张时，马云曾一度过分迷信国际人才。当时在马云看来，要成为世界10大网站之一，那就必须用世界一流的人才。马云曾对自己的创业团队成员直言相告："你们可以做到中层，但无法胜任高层管理。"所以，马云曾经有过规定："凡是要做主管以上位置的员工，必须在海外，如英国、美国等地受过3~5年的教育，或工作过5~10年。"马云曾从哈佛、斯坦福等高校引进大量的MBA人才，组建了一支超级豪华的团队。在这个豪华团队里，除了后来担任阿里巴巴高级副总裁的李琪，其他人都符合马云的海外奇兵的政策。

但这些高薪请来的"高级人才"在实际的工作过程中，并没有让马云满意。曾经有一个营销副总裁找马云谈项目，那位副总裁给他看了下一年度的营销预算。马云一看大吃一惊，他问那位副总裁："什么？要1200万美元？我只有500万美元了。"但那位副总裁不停地和马云谈策略，谈计划，并没有真正考虑到现实的种种问题。

过了一段时间之后，马云认识到了这些海外精英存在的问题，他说："我希望MBA（们）调整自己的期望值，MBA（们）自认为是精英，精英在一起干不了什么事情。我跟MBA（们）坐在一起，发现他们能用一年的时间讨论谁当CEO，而不是谁去做事。"于是，马云便逐步将当初招聘进来的MBA们"请走"，只留下了不到5%的人在阿里巴巴工作。让这些精英离开的原因，据马云解释："那些职业经理人管理水平确实很高，就如同飞机引擎一样，但是如此高性能的引擎就适合拖拉机吗？业界高手们讲得头头是道，感觉真是很有道理，但是结果却是讲起来全对，干起来全错！公司当时的发展还容不下这样的人。"

国际精英的离去，让马云不得不反思他的人才国际化策略。马云发现创业仅仅是依靠海外的精英是不行的，还得培养本土人才。马云表示："我马云就是一个普通人，既然我可以管理这么一个国际化的公司，他们为什么不能？他们跟我创业时才20多岁，我请的那么多外国高管，仗打下来都死掉了。结果回头一看，倒是这帮'土八路'还拿着大刀往前冲。每个人都经历了许多磨难，但他们成长了。我最大的快乐是看到人成长。"

经过一番折腾之后，马云开始注重大力培养内部人才，并开始重视企业人才队伍的自身成长，连高级管理人员的选拔也是以内部培养为主。马云说："别人提阿里巴巴是黄埔军校，我们就是要做这个事情，但不要刻意做这个事。结果是我们为中国互联网产业、新经济产业培养和造就了大量优秀人才。10年之后，我的考核指标是：世界500强中的中国企业的CEO有多少是从阿里巴巴出来的。这帮人培养出来以后，对中国经济的影响就大了。那时就会形成吸收了美国的全球化战略和日本严谨的管理风格，又融合了中国太极的中国流派和中国方阵的局面，那时中国军团在全世界的声音就不会是这么点儿！"

随着阿里巴巴的发展，一个新的问题又随之浮现：原来由"十八罗汉"组成的创业团队，面对急剧的市场变化，产生了后继乏力的状况。为了解决这一问题，马云于2007年12月写给员工的邮件里提到："为了实现公司102年的目标，阿里巴巴集团将继续实行人才梯队战略。除了一如既往地提升自己和引进外部人才的计划，我们将会大力推进走出去的人才战略部署。我们还会加强各关键部门人才的储备、轮岗和接班人制度的建设。"

一个企业在发展过程中，是四处挖掘人才，打造一个精英团队，还是从内部培养，组成一个平凡团队呢？在《赢在中国》这档节目中，马云曾给出这样的答案："创业时期千万不要找明星团队，千万不要找已经成功过的人跟你一起创业。在创业时期要寻找这些梦之队：没有成功、渴望成功，平凡、团结、有共同理想的人。等发展到一定程度以后，再请进一些优秀的人才，对投资、对整个未来市场开拓才有好的结果。尤其那些35~40岁，已经成功过的人，他们已经有钱了，他们成功过，一起创业非常艰难。"

小公司的行业大格局

2000年9月10日的阿里巴巴还只是成立一年的小公司，是一个连盈利模式还不是十分清晰的小公司。但马云并不这么看，他要引领整个互联网行业，所以，由他做东道主，组织了"西湖论剑"这样一个特别的论坛。马云请的嘉宾无论在业界还是公众领域，都比他本人更有名。马云能请动他们，也是因为用著名作家金庸作为杠杆，恰好四人中有三人喜欢金庸。再加上一个行业刚开始，谁有引领的意识，谁就会捷足先登。

互联网泡沫中抱团取暖

第一届"西湖论剑"正值互联网泡沫最严重的时候，外界和互联网业界对互联网的前景都有不同程度的担忧，此时的这个论坛完全可以起到提振信心、抱团取暖的作用。这个作用不光可以借媒体向社会扩散，更重要的是，也可以借此提振阿里巴巴内部的士气，坚定对互联网未来的信心。

品牌和市场活动早于产品出现

前后一共六届的"西湖论剑"与网商大会是阿里巴巴最大规模的市场推广活动和品牌活动。其实，在阿里巴巴的产品未推出来之前，阿里巴巴就进行品牌推广活动，这是非常规之举。后来淘宝就不这么做了，先有产品，才有市场。而阿里巴巴B2B业务在诚信通业务推出前，阿里巴巴竟然举办过两届品牌活动"西湖论剑"，两度将著名作家金庸请到西湖。这样的做法实在是马云的做法。也许他当时并不懂，也许他是在为未来将出现的产品造势，也许他想引领行业的心情太急切，也许他走的是一着险棋。这些我们都不得而知，在这样一个事实面前，**我们不得不承认，条条道路通罗马，世界上没有一条道路不是因人而生，因事而生，也没有一条道路是完全可以重复的。**

武侠文化与借势金庸

最早打动我的其实是淘宝的武侠文化。

和很多人一样，我也是金庸作品的忠实读者。但是，虽然为金庸的武侠世界着迷，我和很多读者一样，也认为金庸的世界是一个虚构的、远离我们的世界。他的小说，可以让我们沉浸其中，但也只能在闲暇时用来打发时间。它并无太大现实用途。

因此，当我知道有一家公司用金庸的武侠世界来装扮自己时，真的是惊呆了。

淘宝的武侠文化，让这家公司的每个员工都需要选择一个武侠小说中的名字作为自己的花名。直到今天，我们仍然可以通过淘宝系员工的花名，来判断他在这家公司供职时间的长短。如果花名很好，那他一定是个老员工。随手举几个例子：阿里巴巴集团CEO陆兆禧的花名是"铁木真"，首席风险官邵晓锋的花名是"郭靖"，创始十八罗汉之一的吴泳铭花名是"东邪"，马云自己的花名则是"风清扬"。花名之外，淘宝服务卖家和买家的员工则自称"小二"。阿里巴巴的企业文化与价值观，被马云概括为"独孤九剑"和"六脉神剑"。现在，阿里巴巴内部针对高级管理者的培训项目，被称为"风清扬班"，马云会出来授课。

有一段时间，我听到传言，称马云还曾想自告奋勇要出演《笑傲江湖》中的风清扬——他和导演张纪中也很熟。后来见到马云时，我还认真地问他此事。结果被他否认，说即使他愿意，公司也不会答应。其实内心里我倒蛮希望看一看马云如何演绎风清扬。

我不知道有多少人像我一样，因为对金庸的着迷，而开始对这家公司产生好奇。

马云应该是真的热爱金庸的武侠小说。企业家中和他一样熟读金庸的应该不在少数，和他同城的地产大亨宋卫平也同样是一位金庸迷。但他是第一个大胆到用金庸武侠小说来"武装"自己公司文化的企业家。

一方面，这让淘宝的文化天生就不同于其他公司，让它与众不同，同时增加了用户的亲和感——淘宝的用户中金庸的粉丝应该不在少数。淘宝和金庸，都拥有海量用户。另一方面，它也可以让这家新创办的公司，借到金庸这位读者最多的中文作家的势能。

2000年的"西湖论剑"就是"借势"的表现之一。2000年，阿里巴巴刚刚创立，但是因为马云请到了金庸，于是，三大门户的创始人王志东、张朝阳、丁磊以及8848的创始人王峻涛都飞到杭州，参加首届"西湖论剑"——或者说"金庸互联网企业家粉丝见面会"。**凭借一个活动，刚刚创业的马云，将自己和当时最炙手可热的互联网企业家放在了一个平起平坐的位置，成为互联网江湖"五大门派"的掌门之一——**10月份，高盛领投的第一笔500万美元的投资才会进入阿里巴巴。

在需要被媒体关注的那段日子里，"西湖论剑"对阿里巴巴的市场与公关可谓贡献良多。因为每一届"西湖论剑"，都可以说是中国互联网江湖的盛事。这个名字让人想起金庸武侠小说中著名的"华山论剑"。天下高手聚集在华山之巅，比武切磋，争夺天下第一高手的称号。第一届的"华山论剑"确定了五大高手的地位：东邪、西毒、南帝、北丐、中神通；第一届"西湖论剑"也产生了互联网江湖的"五大门派"。

每一届"西湖论剑"的参与名单，某种程度上也体现了互联网江湖的沉浮，以及阿里巴巴自身在这个江湖中位置的变化。

从2000年到2005年的"西湖论剑"，参与者多是中国本土的互联网精英，从三大门户的掌门人，到今天BAT时代的另两个巨头马化腾和李彦宏都曾与会。2003年，阿里巴巴的投资人软银创始人孙正义参与论剑。2005年，雅巴联姻，不但雅虎创始人杨致远来了，连美国前总统比尔·克林顿也参加了"西湖论剑"。这时的阿里巴巴和马云，已经是一个拥有国际知名度的公司和企业家了。

五年之后，2010年第六届"西湖论剑"，虽然仍是冠盖云集，参与者包括当时的美国加利福尼亚州州长施瓦辛格、eBay首席执行官约翰·多纳普、联想创始人柳传志和与其同城的吉利集团董事长李书福，但已经没有国内的互联网企业家与会。这最后一届"西湖论剑"，表明阿里巴巴俨然已经成为真正的江湖顶尖门派，它似乎不再需要来自互联网世界的认可了。

现在已经不再有"西湖论剑"了。可能马云和阿里巴巴认为现在已过了"西湖论剑"的时代，互联网江湖大局已定。现在的中国互联网属于BAT和新崛起的小米、京东与360，而它们之间也互有戒心。

但我很怀念它，我相信很多记者也是。

节点10

2000年10月，中国供应商

模式是什么？模式是指把成功的经验取出来，放到其他地方也可以拷贝和尝试。今天的互联网没有成功的模式，只有失败的模式，现在任何一家网络公司都不能说有成功的模式，世界上没有最好的模式，只有最适合自己的模式。

找到适合自己的模式

2000年10月初，阿里巴巴推出"中国供应商"服务。准确地说，"中国供应商"是阿里巴巴的一个产品，一个当家的产品。这个产品的目的就是要让所有使用和相信这个产品的中国中小企业成为国际供应商，能够为全球各地的人提供商品买卖。

在那个年代，中国的许多产品都以价格低在国际上取胜。中国也成为了世界产品的供应国，尤其是在小商品发达的江浙一带。但是，如何让这些产品被海外采购商看中，进而购买，对供应商来讲是个很大的问题。一是因为信息的不对称；二是因为企业规模的限制。中小企业很难花费十几万，甚至几十万在广交会上进行展位宣传，来赢得外商的注意。在这样的背景下，马云推出了"中国供应商"这个产品。他们可以在"中国供应商"这个平台上发布自己的产品信息以及10张产品图片。阿里巴巴会根据其种类收录进不同的光盘，去参加国外的一些展会。"中国供应商"创建的目的是帮助中国的出口商扩大销售。阿里巴巴扮演的角色是销售的渠道和桥梁，通过线上推广及线下服务促成签单。

中国供应商的具体服务内容包括三个方面：一是帮助客户展示他们的

产品及企业（同时包括初级静态展示和高级的动态展示）；二是收集客户的产品，由阿里巴巴统一带到各种国际展会参展；三是对基本的应对外商的礼仪和相关知识进行协助辅导。

阿里巴巴在2012年最后一个季度（阿里巴巴退市前最后一个财季）的财报显示，其国际站营收达到了9.46亿元，来自"中国供应商"会员费及相关服务的收入占了绝大部分。目前中国供应商的会员费在4万至8万元，加上金品名企等增值服务，不少会员一年投入在百万元以上。

另外，通过跟客户交流与调查，阿里巴巴发现87%的客户最担心的问题就是诚信问题。于是，2001年8月，阿里巴巴推出售价2300元的"诚信通"产品。每位加入诚信通的会员都要进行认证，都要通过仔细交谈来确认身份。虽然过程比较烦琐，但马云相信最终的结果一定是好的。事实证明，"诚信通"产品大获成功，最后，在阿里巴巴的平台上，"诚信通"成为商人们谈判前的一个身份验证。

做企业最重要的是找到适合自身发展的商务模式，马云说过："模式是什么？模式是指把成功的经验取出来，放到其他地方也可以拷贝和尝试。今天的互联网没有成功的模式，只有失败的模式，现在任何一家网络公司都不能说有成功的模式，世界上没有最好的模式，只有最适合自己的模式。"马云最终找到了适合阿里巴巴的模式。

2001年12月27日，阿里巴巴B2B拥有了它的第100万个注册会员。成为全球首个达到100万注册会员的B2B电子商务网站。接下来，马云宣布2002年的目标是盈利，"只赚一块钱"。2002年2月，日本亚洲投资公司投资500万美元给阿里巴巴。2002年3月，阿里巴巴B2B开始全面收费。随后，渡过困境的阿里巴巴报出一连串可观的数字：2003年每天收入100万元，2004年每天盈利100万元，2005年每天纳税100万元。阿里巴巴终于结束了"烧钱"的日子，进入了盈利时代。

从创建阿里巴巴到实现盈利，马云奋斗了5年时间，这其中的酸甜苦辣，只有他自己知道。2005年6月，马云参加中央电视台经济频道《对话》栏目时，聊到了那时的心路历程："其实我说的跪是指你站不住了，你给我跪在那儿，不要躺下、不要倒，是这个意思。但是所谓冬天长一点儿，春天才会美好，细菌都死光了，边上的声音、噪声都会静下来，这时候我还站着，我就会成为所有投资者最喜欢的，也会成为整个互联网界最喜欢的人。所以我们那时候是自己给自己安慰。我们在2002年的关键字就是：坚持到底，就是胜利。"

在阿里巴巴的日子越来越好过之后，马云非常自信地说："现在，商人们打开电脑，看到的界面是Windows，将来，他们看到的会是阿里巴巴！他们需要的一切服务，阿里巴巴都将提供，阿里巴巴将是贸易的同义词。"

将互联网观念浓缩成可售卖的产品

马云相信互联网的未来，也坚信用互联网一定能更好地服务中小企业，但这个想法要落实必须做一个包含这些想法的产品，没有这个产品，再好的想法也无法落实，公司也无法把力量集中在一处发力，收入也无从谈起。因为一个公司不可能天天靠启蒙社会对互联网的认知活下去，那是媒体，不是商业公司，更不是这样的创业公司。所以说，"中国供应商"这样一个网络产品出现，相当于公司找到了一个活路。这个产品有了定价，会员4万，会员服务内容包括：在阿里巴巴这个平台上发布十张图片信息，在阿里巴巴的线上线下推广，订单的成交。

"中国供应商"这个产品出现后，阿里巴巴知道该如何赚钱了，公司可以组织大量的人员进行电话销售，可以为"中国供应商"这个产品进行营销。此后围绕这个产品的"诚信通"也是在这个基础上一点点产生的。

收入一点点增多、用户一点点增加，已经是题中应有之义，困难只是前进道路上的一些障碍而已。

可以说，"中国供应商"这个产品的出现，是阿里巴巴发展的基础性一步。

统一思想提振士气同样是基础

公司大裁员、总部搬回杭州的这段时间，正值2000年底和2001年互联网泡沫破灭时，几大门户网站在纳斯达克的股价如同抛物线一样一路向下，社会上对互联网前景的各种看法都有。这些当然会影响阿里巴巴的团队士气，而团队士气是打胜仗的决定性因素，此时的马云做了一件事情，在阿里巴巴内部开展"整风运动"。这不仅提振了员工的信心，帮助大家认清了互联网的前景，而且提出要做"80年的企业"这个目标。

我之所以把这个举动放在这个节点上讲，是因为，如果没有这样一次"整风运动"，阿里巴巴的团队无法凝聚，人心会涣散，产品的研发和推出以及后面的收入都很难发展到我们今天看到的局面。

一个创业者可能在很多地方放权，但有几个职能别人永远不能代替，这就是企业愿景的建立、文化价值观的打造、核心团队建设并且凝聚人心和人才的培养。这些都是无法放权的地方，也是创业者最累的地方。创业者就像一个船长，要随时了解和感知影响航程的因素，并且及时调整。当阿里巴巴的第一个产品推出时，作为船长的马云首先嗅到了团队士气低落的气息。马云后来在谈到管理经验时常说，他只要到业务区转转就知道运转是否正常、士气如何。这次的低落其实更加显而易见，外部大环境的变化和公司内部的裁员调整。

马云此次调整的手法是"整风运动"，熟悉中国共产党历史的都知道延安整风运动，这是毛泽东的领导方法，马云就是借用了这个方法。持续三年多的延安整风运动，对随后打响的解放全中国的三大战役，到了决定性的作用。在公司治理的智慧借鉴上，中国企业家一般从三个地方要智慧：一是从市场经济的运作方式，也就是从西方公司的治理结构等一系列制度工具和方法中获得。这个智慧已经经过100多年工业文明的检验，适合成熟的市场经济环境，完全照搬的话一定会惨败。还有一种就是从毛泽东领导中国共产党的历史中吸取智慧。如史玉柱就是这样一位企业家，他的书房放满了毛泽东的各种著作，非常全面；最后一种就是向中国传统文化——儒道要智慧，这种智慧多半偏经验性，对于驾驭一个大企业，在工具、方法上还会显得有些欠缺。

你如果看马云管理的智慧，会发现他三种每一种都用。除此之外，他还用了武侠文化，但不是机械地用，是吃透了之后找到与阿里巴巴的结合点，再进行使用。这就是他所说的乱棍打法。他吃透后你看不出他的章法，但他的确有自己的章法，这是一种适合他本人和阿里巴巴的章法。

在这次马云的"整风运动"之后，在阿里巴巴的发展中会看到很多多种形式出现。而这些活动、运动都是这个公司最具特色的文化价值观的体现，是这个公司最重要的凝聚人心的力量。

如何靠赚钱赢得舆论

"诚信通"是一款赚钱的产品。阿里巴巴B2B宣布盈利，"诚信通"功不可没。

推出"诚信通"之后，有人给阿里巴巴B2B算账：2000块钱的"诚信通"，80万的会员（当时的数字），会员全部用上"诚信通"，仅此一项阿里巴巴可以获得16亿元的收入。对于用户来说，虽然并不是不用"诚信通"就不诚信，但如果能用2000块证明自己诚信，何乐不为？

"诚信通"还是一款人人叫好的产品，它赢得了民意。

2001年，《财经》杂志刊发了轰动一时的"银广夏陷阱"。这家曾被赞誉为"中国第一蓝筹股"的上市公司，被揭露虚构财务报表。其天津广夏公司60亿元的出口合同，被指为"不可能的产量、不可能的价格、不可能的产品"。在这起丑闻前后，中国资本市场被媒体报道的著名的丑闻还有"基金黑幕"和"庄家吕梁"。21世纪初的这些轰动一时的丑闻，证券市场的研究者可以指出各种各样的理由，但在大众看来，都可以归结为商业行为中的"不诚信"。

这是新闻。回到生活，可以肯定地说，每个人都遭遇过"不诚信"，都是"不诚信"的受害者——当然，一些人可能也是"不诚信"的作为者。人人都憎恶"不诚信"，只是人人都不知道在自己"诚信"的情况下，如何去确保行为相关方的"诚信"。

马云跳出来说：阿里巴巴推出了一款产品，可以解决网商交易过程中的"不诚信"问题。结果当然皆大欢喜。

这后来成为马云总是在提的商业理念：一个公司要想长久发展，必须为社会解决问题；看一个公司是否伟大，不是看它赚了多少钱，要看它有没有为社会解决问题。

阿里巴巴推出的这个产品，想要解决的是"不诚信"问题，而不是想要"赚钱"。如果你去跟马云说，80万会员使用"诚信通"，可以创造16亿元的收入，他会摇摇头说这不是他想要的，他也没算过这笔账。

从"诚信通"开始，阿里巴巴高举高打，所有的发展，都是"要解决社会问题"。公众和媒体，当然喜欢这样的企业和企业家。正像一个科技公司的CEO说，他总是会用苹果的产品，而不用其他IT公司的产品，是因为他觉得，苹果卖产品给你，不是为了赚你的钱。这就是理念的作用。当然，后来阿里巴巴被指总是占据道德高地，那是后话，我们会再提及。

再说盈利。2000年是冬天，2001年还是冬天。马云在媒体上信誓旦旦，要采取各种手段过冬。结果如何？再不盈利，岂不是要接着融资？做了收费产品，目的不就是盈利吗？结果马云说了，2002年阿里巴巴的战略是赚一块钱。此言一出，众多媒体争相报道。

阿里巴巴的年度战略是赚一块钱，一方面表明自己对盈利有十足把握，另一方面也在说自己其实并不在乎盈利——互联网公司赚钱太早、太快未见得是好事，马云当然知道。所以，"要在发展中盈利"。高手过招，点到为止，那就赚一块钱吧！事实上，当然不可能只赚一块钱！

但马云在对外传播上有没有败笔？也有。阿里巴巴要在危机中重申企业文化，统一公司愿景，当然人人可以理解。但马云用了诸如"整风运动""抗日军政大学""南泥湾开荒"这些"革命话语"。当时马云风头正劲，不会有人注意到这些。但将"革命话语"引入到自己的公司管理，也为日后人们指责马云是"毛派企业家"留下话柄。

要辩解一句的话，那就是：马云这一代人难免要从革命哲学中吸取商业管理的智慧，因为在他们的成长时期耳濡目染的确实都是这些。我们去看包括柳传志、史玉柱在内的商业巨头的言论，其中也不乏革命话语。

节点11

2003年5月10日，再入湖畔花园做淘宝

如果说我不采取任何行动，三五年之后等到eBay进入B2B市场，它的钱比我们多，资源比我们多，全球品牌比我们强，到那个时候对阿里巴巴来说，就是一场灾难。当时的情况就有些像这样，我们拿起望远镜一看，看到有一个兄弟，长得和我一模一样，块头还要大很多，吓了一跳。可是对方却根本不知道我的存在。当时在eBay眼里，我们根本就什么都不是。我觉得，这可以让我们占一个先手，eBay的漠视对我们来说是一个最好的机会。

阿里生态系统的开始

2003年3月，eBay投资3000万美元拿下易趣网33%的股份。这个国际电子商务巨头通过这种方式进入中国市场。2002年底，马云等人在东京考察的时候与孙正义会面，他与马云见面的第一句话就是"eBay和你们的平台是一样的"。在那个时候，eBay在大家的眼里是很强大的，似乎是不可战胜的，但是孙正义告诉马云no。他说，不是这样的，在日本，雅虎已经战胜了eBay，接下来就轮到中国了。孙正义的这番话给了马云信心。

2003年4月14日，马云开始组建团队筹备C2C项目——这正是eBay擅长的领域。马云找到孙彤宇，告诉他公司准备要投资C2C网站，由他来负责C2C项目。当时这个项目是秘密进行的。他们找来公司的一些员工，告诉他们有一项秘密工作需要他们去完成，这个任务很困难，时间会很漫长，也许需要两到三年的时间。公司不能跟他们承诺任何东西，但是能保证福利待遇一定不会比现在低，并表示这个项目对公司的未来发展有非常重要的影响。马云通过这种方式组建了C2C项目的核心团队。于是，这个秘密团队重新搬回当初阿里巴巴的创业基地"湖畔花园"。

这个秘密建设的C2C网站，就是淘宝网。"淘宝"这个名字是阿里巴巴一位员工提出来的。它的口号是："淘！我喜欢！"马云认为："人类已经开始走向个性化，而加速的电子商务，使制造业的走向被消费者定制，所以淘宝会为人类社会做很大的贡献。"所以，他在创立淘宝时的梦想是，将淘宝打造成中国最大的C2C平台。这就决定了它的竞争对手是刚刚进入中国的eBay。

淘宝的诞生一波三折。因为它刚好赶上了非典疫情。在淘宝团队组建半个月后，阿里巴巴的一位员工在非典期间到广州交易会出差，回来后被带走隔离。公司500人也都各自回家自行隔离。为了保证公司的正常运营，阿里巴巴的技术部门迅速建立起了网上的互通工程，让员工在家中工作。在全体员工隔离的这段时间，客户没有感到任何异常。

后来马云回顾，从某种程度上讲，非典对于公司是件好事，凝聚了公司上下全体员工的心。而他也通过这件事，更进一步认识到了电子商务的可观前景："电子商务在那个时候被认识到是那么的重要和方便。而我们自己，也将对互联网的运用提高到了一个前所未有的高度。为了解除单身员工被隔离时的心理问题，我们甚至利用网络举行过几次公司范围内的卡拉OK比赛。这在正常时候是很难理解的。因为利用电子邮件和网络聊天工具交流，同事之间变得更加直接和坦率，效率也随之提高。"

隔离结束以后，当时阿里巴巴的COO关明生说："这种文化是一个公司梦寐以求几十年才能建立起来的东西，在危难时期没有人互相指责，没有人互相埋怨，而是我们手拉手一起渡过灾难。灾难出来的时候，如果大家东扯西扯那就全完了。"

2003年5月10日，淘宝上线。对于它的对手eBay，淘宝当时的负责人孙彤宇说道："eBay当时在中国的确做得很大，但我们发现它有很多弱点。客户对它的抱怨很多，这就是我们的机会，其中最重要的弱点就是它坚持收费模式，在那个时候就采取收费模式，我们认为时间上并不合适。所以我们一直呼吁大家以培育市场为目的，不要急着收钱。"

在公布淘宝诞生的同时，马云还宣布了淘宝三年内不准盈利的政策。他说："中国个人网上交易，尚处于起步阶段，应实行全面的免费措施。在今后的12个月内，淘宝将继续实行免费政策，淘宝3年内不准盈利……我们觉得真正大规模收费的时间还没有到，目前个人电子商务网站采取的收取交易费的方式未必适合中国的国情。当然，在另一方面，我们有足够的底气，也有充足的信心。阿里巴巴目前的盈利能力以及现金储备，完全可以再造三个类似于淘宝的网站，而且阿里巴巴在收费之前，也经历了三年的免费阶段。"瞄准了对手收费这一弱点，在前期没有任何推广的情况下，20天内淘宝就引来了1万名注册用户。

2003年，马云提出每天进账100万元，结果日均收进100多万元，最高单天收入500多万元，2003年全年盈利超过1亿元。截至2003年底，阿里巴巴公司的会员数量已经达到271万，每天新增注册会员6000余名。目前淘宝已成为亚洲最大乃至全球最大的C2C类电子商务网站，在中国市场的占比超过80%。截至2013年底，仅淘宝网就已经拥有超过800万活跃卖家，活跃买家数超过2亿5千万。至2012年12月1日，阿里巴巴平台的商品交易额已经超过1万亿元。

之后，回忆起当初创建淘宝的初衷，马云说："如果说我不采取任何行动，三五年之后等到eBay进入B2B市场，它的钱比我们多，资源比我们多，全球品牌比我们强，到那个时候对阿里巴巴来说，就是一场灾难。当时的情况就有些像这样，我们拿起望远镜一看，看到有一个兄弟，长得和我一模一样，块头还要大很多，吓了一跳。可是对方却根本不知道我的存在。当时在eBay眼里，我们根本就什么都不是。我觉得，这可以让我们占一个先手，eBay的漠视对我们来说是一个最好的机会。"

战略选择决定公司未来格局

一个公司在产品选择和用户选择上决定做什么和不做什么其实就是战略。2003年4月开始的淘宝战略，事关阿里巴巴今天的格局。试想如果没有淘宝，就没有今天的天猫等一系列电子商务系统下的公司，当然也没有支付宝，更不可能有在支付宝基础上诞生的小微金服集团和菜鸟集团，而这个系列恰恰是今天阿里巴巴集团最核心的业务。从这个意义上看，淘宝的开始其实是真正阿里巴巴生态系统的一个开始，也许当时马云和他的团队并没有意识到淘宝之后阿里巴巴会有一个电商的生态系统出现，这样的格局当然是在过程中逐渐完善出来的。

投资人带来的不只是资金

促使阿里巴巴尽快做淘宝C2C这样的选择的人中，除了马云本人的认知以外，阿里巴巴的投资人孙正义起到了一定的作用。孙正义对马云说eBay在中国做的与阿里巴巴的B2B业务本质是一致的，这个观点应该很大程度上帮助了马云，让他判断出未来中国电子商务的格局。无论是B2B或者是C2C，其实只是自己的一种定义，在本质上两者的切换没有想象的那么困难。在这个思路下，进军C2C是迟早的事情，而越迟越被动，越早越有利。在这里，投资人除了钱，在互联网领域前瞻性的眼光也间接帮到了马云。所以，很多创业者在找投资时不能只看到钱本身，投资人对行业的理解也是一种特别的资源。

成熟的商业项目运作

创业者也许很少注意此次淘宝项目运作的方式，其实这个方式也间接地决定了项目顺利与否。

第一，秘密进行。这个秘密让对手放松了警惕，让团队本身感到了使命的不同凡响，让自己的项目有回旋的时间。

第二，在1999年创业的故地湖畔花园开始。此举功效一是公寓型的房子很适合创业，二是团队近距离工作，还有就是吃住很方便。即便今天很多创业公司开始也是租一个类似这样的公寓进行创业。和他们也不一样的是，湖畔花园对于阿里巴巴的历史意义是一种创业精神的发源地，一种艰苦创业的象征。马云把这支团队放在那里的寓意是很明显的。

第三，组建这个项目时做了充分的动员工作。既说明了这个项目对公司发展的意义，也告知了时间可能需要两三年，而且说会很艰难，还保证了他们的待遇不比现在低。这是一个非常好的动员形式。

从上述这些特点看得出来，这是一个经过精心布置的商业任务，这为后来淘宝的艰苦作战打下了最重要的基础。这支团队没有辜负期望，一个月后淘宝网就上线了。

淘宝，马云又讲了一个好故事

在2003年4月14日马云开始筹建淘宝时，以及在2003年5月10日淘宝上线时，都没有人能想到淘宝，或者淘宝系能够成为中国互联网世界如此庞大的力量。我们今天看到阿里巴巴集团的大部分业务，以及另一家公司小微金服都可以说是从淘宝丛林中生长出来的。

我今天仍然记得一个朋友给我讲过的故事。在西湖边的茶馆，马云对他谈起自己要创办一个C2C网络交易平台的想法，我的这个朋友不断地提出反对意见。他认为这仅仅是对eBay的简单模仿，当eBay决定大举进入国内市场时，马云的这个新项目将不会有机会。当然，这是一个旁观者的看法，旁观者很难理解一个操盘者的真正想法。

正像今天很多评论者解释阿里巴巴进入一些领域时一样。在当时，阿里巴巴进入C2C领域，也被很多人解释为是"防守"性质的。eBay已经通过投资和收购易趣网的方式进入了中国电子商务市场中的C2C领域，如果这个国际电子商务巨头接下来进入B2B领域，那么对阿里巴巴而言是灾难性的。所以，马云要抢先一步进入eBay所在的C2C领域，将战火点燃在对方的领土上。从结果来看，关于"防守"的评论，显然低估了马云的雄心。

而在媒体上，马云再一次讲述了一个好故事，关于淘宝创立的故事。

他将筹备团队放在了湖畔花园别墅。正如我们在此前提到的，马云将湖畔花园别墅变成了阿里巴巴的车库，它代表着阿里巴巴身上的创新与企业家精神。我们可以设想一下，如果惠普或谷歌将一个新项目秘密安置在公司诞生的车库里，这会引起媒体多大的热情。

他将C2C的筹建设置为保密级别，要求所有参与项目筹建的员工签署保密协议。这里面应该有马云在商业上的考虑，或许他不想在项目还没开始就引来对手的关注。但保密的举措，会在淘宝项目公之于众时，增加其神秘感和关注度。现在我们已经知道，全世界最善于运用保密制度的是史蒂夫·乔布斯的苹果公司。《财富》杂志跟踪报道苹果的记者亚当·拉辛斯基说，这个公司内部似乎无处不是秘密，员工们看到一堵新的玻璃墙被竖起，就知道公司又开始了一个新的保密项目。

他为这个新诞生的小公司选择了一个强大到媒体无法忽视的对手——eBay。2002年阿里巴巴刚刚宣布盈利，而eBay已经是一家市值超过百亿美元的电子商务巨头，并且在这一年的10月份豪掷15亿美元收购了网络支付公司Paypal。当然，当马云对媒体宣布这件事情时，他会说，这是由全世界最大的B2B公司阿里巴巴投资的一个新项目。

他还给这家公司的文化找到了独特的外在表现形式：倒立文化和武侠文化。淘宝员工在早期为放松而做的倒立练习，被解释为一种文化：倒立者眼中的世界和站立者眼中的世界是不同的，这让淘宝能找到差异化的战略，来赢得竞争。武侠文化和花名文化更让这家公司在媒体和公众眼里成为一个好玩的公司，迥然于以往一本正经的大公司。

2003年的"非典"也成了这个故事的一部分。我们之后会在无数关于阿里巴巴的信息中看到非典时期阿里巴巴和淘宝的故事，这个故事饱含打动人心的温情和理想主义。

淘宝的另一个意义是，开启了中国互联网的免费战略时代。当马云宣布淘宝在12个月内实行免费政策，并且在三年内不盈利时，媒体还会感慨他的大胆。大家没有想到的是，淘宝的免费之路一直延续到了今天，而在电子商务领域之外，免费作为破坏性创新策略，已经被众多互联网企业家采用，比如在网络游戏和杀毒软件界。

节点12

2003年至2006年，大战 eBay

淘宝今天为止，成长的速度非常之快，我们从一年两年前，说想创办一个中国第一，现在我们改变主意了，我们要做世界第一。信心我们越来越足，而且我们的士气也越来越好。

找到一流的对手

eBay是1995年9月在美国成立的一家C2C模式的电子商务网站。它的经营口号是"希望帮助地球上任意人完成任意商品的买卖交易"。2001年eBay全球年度销售额已经超过90亿美元,当时的eBay已是全球首屈一指的C2C公司。易趣是1999年8月在中国成立的一家C2C模式的电子商务网站。到2001年易趣已经拥有440万的注册用户,日均成交金额250万元人民币,已是中国电子商务C2C领域的老大。

2002年3月,eBay收购了易趣33%的股份。这个时候,马云发现了这个未来的竞争对手,而且预估eBay最终会完全收购易趣。在他们还没意识到阿里巴巴将是他们的竞争对手时,马云决定出击。

说起和eBay的竞争之道,马云思路清晰:"eBay是一个大市场,是做C2C的。然后我觉得思想一样,既然它可以做C2C,我们可以做B2B,有一天它做B2B容易,我做C2C也容易。现在我想跟阿里巴巴所有会员说的是,阿里巴巴现在很好,淘宝是阿里巴巴整个商机上最重要的组成部分。因为我们相信在座的人,你们都知道,现在这个市场逐渐在成熟,以后不会存在B2B和C2C。所以淘宝到今天为止,成长的速度非常之快,我们从一两年前，说想创办一个中国第一，现在我们改变主意了，我们要做世界第一。信心我们越来越足，而且我们的士气也越来越好。"

2003年4月，马云开始筹建自己的C2C淘宝交易平台。淘宝刚推出的时候，虽然陆续有会员在淘宝上开店，但流量并不乐观，交易也并不活跃。于是，阿里巴巴准备投放1亿资金来推广淘宝。但是，当他们去各大门户网站投放广告的时候，却发现eBay不但已经抢先投放，而且还同门户网站签署了协议，协议中规定它们不能接受同类电商网站的广告。

最终，淘宝的推广一共经历了三个阶段。第一个阶段是完全依靠口碑相传，这种方式给淘宝网带来了第一批会员。第二个阶段是所谓的"农村包围城市"，因为当时的大环境对淘宝网来讲，是没有办法在门户网站上做广告的。而且那个阶段由于国家加大了对短信的规范力度，使一大批靠短信业务为生的中小型网站和个人网站失去了利润来源。淘宝网就是在这个时间针对这一群体做了大规模的推广。第三阶段，就是从2003年底到2004年初，业界对淘宝的看法发生了很大的转变。淘宝相继跟搜狐和MSN建立了联盟合作伙伴关系，从而打破了一度被垄断的排他性惯例。

2003年6月，如马云所料，eBay以1.5亿美元收购易趣公司剩余的67%的股份。2003年7月，阿里巴巴完成了第四轮8200万美元融资，这在当时是中国互联网上最大的一笔融资。投资人包括软银、富达投资、GGV和TDF风险投资公司。这笔钱为马云在C2C市场上挑战eBay提供了更多弹药。

自2004年9月17日，eBay和易趣接轨后，导致了解了他们大部分客户逃跑的局面。eBay用的是美国完善的支付体系和信用卡体系，但是这个时候的中国并没有一个完善的信用卡体系。最终他们的接轨导致的结果就是

"在网上卖的五六美元的东西，邮费却要20美元"。这导致eBay的大量用户向淘宝转移。

和eBay向入驻商家收取入场费和交易费的方式不同，马云宣布了淘宝网的3年免费战略。免费战略是淘宝在同eBay竞争中的杀伤性武器。2005年10月份，马云宣布追加投资淘宝网10亿元，并承诺继续免费3年。

很多人开始质疑淘宝网的盈利能力，马云对质疑者做出了这样的回答："我们觉得真正大规模收费的时间还没有到，目前个人电子商务网站采用的收取交易费等方式未必适合中国的国情；当然，另一方面，我们有足够的底气，也有足够的信心，阿里巴巴目前的盈利能力以及现金储备，完全可以再造三个类似于淘宝网的网站，而且阿里巴巴在收费之前，也经历了三年的免费阶段。"

没有了盈利的压力，淘宝网的每位员工都能在心态轻松的情况下，将淘宝网打造得更加简易，更加方便客户使用。在3年的免费阶段，淘宝网在全体工作人员的努力建设下，成为了一个非常安全坚固，又好用便捷的网站。"我们知道花钱和烧钱的区别，我们也知道在费尽心机赚小钱和将来水到渠成，规模盈利之间去选择。"马云用实际行动回答了那些质疑淘宝网的人。

马云如此另类的竞争手法，令淘宝网犹如一匹黑马，在电子商务领域展现出了强大的竞争力。2006年，马云宣布，与eBay的大战结束。淘宝网已占据中国C2C70%的市场份额，远远地将eBay中国甩在后面。2006年12月20日，eBay宣布与TOM组建合资公司。新公司中TOM占51%的股份，并将主导运营。这也意味着eBay正式放弃了中国的C2C市场。

商业智慧以一当十

马云打这场经典的战役时阿里巴巴已成立4年，再加上此前7年创业经验的历练，我们看到他已经是一个富有商业智慧的统帅了。

若要以实力而论，刚成立的淘宝与在互联网商用的第一年1995年就成立的eBay比起来真是蚂蚁与大象的级差。论资金、论实力、论团队人数都让人不敢想象这场战争阿里巴巴会取胜。但是在2006年，阿里巴巴大胜eBay。马云在此次战役中做了三个最要命的动作。

第一，走"以农村包围城市"的道路。这句话熟悉中共党史的人都知道，是毛泽东的政治智慧，马云再一次将毛泽东的政治智慧用于商业战役中，前一次的使用是统一思路的手段。在这里，我们要对农村包围城市中，"农村"这两个字重新定义，农村不是指真正的农村，而是指当时小网站的站长联盟，它们相对于大网站来说就像农村相对于城市。因为当时流量大的网站被eBay全部买断，并且有排他性条款，也就是不让淘宝有任何露脸的机会。此时这些小站长联盟的广告和流量带来了淘宝的正向循环。

第二，融资。2003年7月，阿里巴巴进行了第四轮融资。投资人孙正义说服马云接受了8200万美元的融资，这是当时中国互联网所接受的单笔最大金额的融资。这使阿里巴巴在打这场仗时，口袋里有资金的保障。当时的阿里巴巴不缺钱，但仍然接受了这笔大额度的融资。马云一再说要在阳光灿烂的时候去检修屋顶，等下雨就来不及了，其实就是这个意思。

第三，让"敌方"去做市场教育，我方享受教育成果。2004年10月，eBay增加投资1亿美元，而此时的马云却减少2/3的市场预算，冻结了头7个月的市场费用，埋头做产品。这个局面让我们想到毛泽东的游击战术敌进我退，而不是正面迎击，让"敌人"多花钱把市场教育成熟，他们开发完了市场，淘宝和产品体验也上了台阶。

从这三个动作中，我们看到了马云带有军事将领色彩的商业智慧，他运用这些军事智慧时火候的把握的确值得创业者们借鉴，特别是那些正在与竞争对手厮杀的将领们。其实，商场如战场不只是在口头上，军事智慧的恰当运用，是商战中常常需要借用的智慧。打完这场战斗的阿里巴巴，其团队的士气不言而喻；指挥完这场战争的马云，其勇气与胆识得到了前所未有的发掘。此后，马云作为一个有勇有谋的商业领袖渐渐跃入大众的视野。

战胜eBay就是最好的市场营销手段

至少在当时的观察者们看来，淘宝和eBay的竞争，就如同大卫和歌利亚之间的战争。它是全世界媒体最喜欢的故事：一场力量极度不对称的竞争，而弱小者竟然取得了最终的胜利。

马云使用了另外一种表达。他关于eBay和淘宝的比喻今天互联网界已经耳熟能详："eBay是海里的一条鲨鱼，可我是扬子江里的鳄鱼。如果我们在海里交战，我会输，但如果我们在江里对峙，我稳赢。"

"扬子江的鳄鱼"这个说法被《经济学人》2013年写阿里巴巴时的封面使用，它也是一部关于阿里巴巴的纪录片的标题。

淘宝和eBay之间的3年战争（2003年～2006年），每个重要的节点都被放在了媒体之上。双方也都大规模地利用媒体传递自己的声音。

eBay当时的CEO梅格·惠特曼曾放言，中国在线拍卖市场的竞争将会在18个月内结束——惠特曼弄错了，这场战争延续了3年；而且她还弄错了胜利一方，胜利者是淘宝。这句话后来也被演变成，惠特曼说淘宝最多只能存活18个月。而马云也乐意增强eBay"恃强凌弱"的公众印象。马云发言的特征是，随便找找都能找到直接做标题的话，这一次媒体广泛引用的话是："打拳碰到泰森，你可能会认为很倒霉。其实，能够找到世界一流的对手，那是一辈子的幸运。我觉得淘宝能够向eBay学习，那是一种福气。"

2003年7月eBay同新浪、搜狐、网易、TOM等门户网站达成独家广告协议，使淘宝无法再在门户网站上投放广告。马云选择中小网站和站长联盟投放广告，这是马云"蚂蚁雄兵"战略的开始。eBay在CCTV等电视台投放广告，马云又选择了在电影《天下无贼》植入，在地铁、公交车上投放广告。

2005年1月eBay宣布对其中国公司易趣追加投资1亿美元;2005年10月20日，在eBay公布第三季度财报的同一天，阿里巴巴宣布对淘宝追加投资10亿。当然，钱的竞争不是最主要的，主要的是接下来马云宣布淘宝继续免费三年。eBay的回应是："免费不是一种商业模式，淘宝网宣布在未来三年内不能对其产品收费，充分说明了eBay在中国业务发展的强劲态势。"在纪录片《扬子江的鳄鱼》中，我们可以看到，马云在办公室里等待着eBay对淘宝新闻稿的回应，听到回应之后哈哈大笑："什么？他们真这么说的？'免费不是一种商业模式'？"

淘宝凭借"蚂蚁雄兵"、免费策略，并利用华尔街对eBay的压力成功战胜了eBay中国。如果说有什么好的市场与公关手段的话，那么这一役就是淘宝最好的市场与公关手段。我们可以看到英文与中文的主流商业媒体，全都参与了报道淘宝与eBay在中国市场的竞争。"扬子江的鳄鱼"一战成名。

很多时候公司往往沉浸在对市场与营销手段的讨论中，但不要忽略了公司本身的业绩和产品，这才是最好的市场与营销手段。拥有好的业绩和产品，同时技巧性地为自己选定一个对标物，这会让你的公司和产品赢得大量关注。早年的门户网站如搜狐和新浪，选择雅虎作为自己的对标公司，现在的手机制造商动不动就谈论苹果和三星，都是这样的道理。马云和淘宝还做到了一点：他们在真实的竞争中与自己的对标公司eBay狭路相逢，而且战胜了eBay。

节点13

2003年，创支付宝

我们阿里巴巴的使命是："让天下没有难做的生意。"
我们做任何事情都是围绕这个目标，任何违背这个使命
的事情我们都不做。所以有人会很奇怪地问我们："你
们凭什么做出这样子一个决定啊？"我说："我们凭我
们的使命感。"我们推出一个产品，首先要考虑的是这
个产品是否有利于生意。我们推出"支付宝"也是这个
原因。

根据用户的需求创新

2004年，成立不到两年的淘宝网已经拥有450万的注册用户，490万件在线商品，和高达1.6亿元的月交易额，而仅来自天津淘宝网的经常使用者就至少有5万人，登录商品超过20万件。据报道，2003年美国网上购物被骗者平均每位损失293美元。**这就意味着，在互联网普及相对落后的中国，交易信用与安全性更是需要关注的。马云一直相信：只有解决了支付问题，才能够做到真正的电子商务。**

调查数据显示，2004年底中国互联网用户已经上亿。但是由于中国电子商务一直存在的"信用""支付""物流"这些问题，用电子商务的群体在上网用户中仅占少数。在互联网热点调查中，42.3%的用户质疑网络购物的安全性，36.8%的用户担心售后服务。

在阿里巴巴的"支付宝"问世前，中国的电子商务公司也曾经尝试过搭建自己的诚信平台。2000年易趣就推出了"易付通"服务，这是国内电子商务首次推出网上支付服务的。此外，阿里巴巴的"诚信通"、慧聪的"买卖通"也相继在解决中国电子商务的诚信问题。

马云在一次演讲中说："我们阿里巴巴的使命是：'让天下没有难做

的生意。'我们做任何事情都是围绕这个目标，任何违背这个使命的事情我们都不做。所以有人会很奇怪地问我们：'你们凭什么做出这样一个决定啊？'我说：'我们凭我们的使命感。'我们推出一个产品，首先要考虑的是这个产品是否有利于生意。我们推出'支付宝'也是这个原因。"

2003年10月18日，阿里巴巴推出"支付宝"试水，用户反应不错。到2004年支付宝网站www.alipay.com正式上线，并独立运营。马云称在短短的一年时间里，支付宝就有了不错的效果，使用支付宝进行网络交易的人群已占淘宝网一半的比例，在线商品的70%已经通过支付宝进行交易。

2005年，淘宝推出"你敢付，我就敢赔"的消费者保障计划，并表示为网上的交易纠纷提供全额赔付的保障。它是将用户双方的交易风险留给了"第三方"平台，以消除信用体系不完善条件下买卖双方存在的信任问题。所以，支付宝的设立，是秉着最大限度地保障交易双方的安全性原则，降低双方的成交风险。它解决了电子商务的资金流问题。对买家而言，他们可以放心地付款，因为卖家是在买家确认收货之后才能拿到钱，所以不会发生被骗钱的事情。对卖家而言，使用"支付宝"更能让买家相信，而且非常方便。交易资金只需要在电脑上通过网络就可以实现实时划拨的功能，而且不用每次都跑去银行查账，更方便管理账目了。这所有的功能保证了支付宝在中国市场的畅通无阻。

2005年2月2日，马云宣布，全面升级网络交易支付工具支付宝，无论是同城，还是异地交易，通过支付宝完成的交易将不收取任何费用。马云透露，免除手续费后，每天通过支付宝完成的交易达上万笔，交易金额达数百万元。

2005年3月2日，支付宝与中国工商银行达成战略合作伙伴协议。协议指出，中国工商银行和阿里巴巴公司将在原有合作基础上，进一步加强和拓展双方在电子商务支付领域的合作力度和范围，彻底解决困扰中国电子商务支付的瓶颈，把支付宝打造成最安全、最快捷、最普及的电子商务网络支付产品。马云首选与工商银行合作，看中的无疑是工商银行雄厚的实力。2014年上半年，工商银行电子银行业务交易额已经达到18.8万亿元，占全行总业务量的近20%；企业网上银行客户数达9.27万户，个人网上银行客户数达956万户。而统计数据显示，到2007年，中国电子商务仅个人拍卖的C2C领域，成交总量即可达到210亿元人民币的规模。随后，在2005年3月16日，支付宝宣布与中国农业银行达成合作协议。与工行的合作完成了城市的全面布点相比，与农业银行的合作则是铺开了城乡市场。之后，支付宝又与招商银行完成了合作。2005年4月20日，支付宝公司与VISA国际组织达成的战略合作协议则解决了海外支付的难题。

据支付宝公司报告显示，截至2013年底，支付宝实名用户已近3亿名，其中超过1亿的手机支付用户在过去一年完成了27.8亿笔、金额超过9000亿元的支付。支付宝成为全球最大的移动支付公司。

在2011年阿里巴巴第八届网商大会上，马云说的一番话，对支付宝的成功做了阐释："就在短短几年前，银行每次业务收取高额的无理费用，可是现在在不断降低。我不敢说支付宝有很大的功劳，但起码有一点儿功劳。我想说的是，现在很多年轻人对现状不满，但是我喜欢建设性地去改进。你打倒了中国移动，难道就能创造出一个比中国移动好的通信公司？**我们对抢民营企业饭碗没兴趣，但对咬那些没有危机感的大企业一口很有兴趣，这就是互联网的力量。**"

走中国特色的道路

支付宝说白了是个支付产品，最大的支付产品早就存在，那就是 PayPal。这个产品是建立在信用卡的基础之上的，但在中国，无论是卖家还是买家，有许多人并没有信用卡，即便今天信用卡的支付都不是最普及的手段。抄袭这个产品的话显然不适合中国用户，如果不抄的话，就要找出适合中国用户并且解决他们痛点需求的功能，支付宝做到了后者。它将用户和商家两方面的风险全部承担了起来，最大程度地打消了人们在买卖过程中的不信任感。这样，支付宝不是一个简单的支付性功能产品，它从某种意义上成了淘宝买卖得以实现的保障。过了这一关，相当于破除了消费者和卖家交易前存在的心理障碍，让买卖变得简单起来。

今天分析起来很简单，但是在实践中必须先有一个清晰的认知，就是电子商务在中国的发展必须走出一条适合自己用户的道路。这一点早在

1999年马云在新加坡的一次演讲中就提到了，只是那个时候他并不知道如何走，而支付宝这个产品的开发就是走出中国特色的电子商务道路最重要的一步。在学习中活学活用，根据用户的需求进行创新，是整个中国互联网优秀公司的特色，而支付宝则是最好的注脚。

没试过的人和事永远不要说不可能

支付宝这个产品要与商业银行合作才可以完成流程对接。开始人们想当然地会认为银行不好打交道，但事实完全相反，银行很配合，也正是银行的配合让支付宝的体系得以打通。现在设想一下，就算银行当时不配合，以马云的风格也会先去谈一家银行，先谈电子商务的未来，再谈支付宝对于中小企业发展的作用，谈银行支持的好处等，直到谈下第一家，然后干起来，然后再谈第二家，一边启蒙一边干，这就是阿里巴巴的做法，也是马云的做法。这种创业相对于今天互联网已成为共识，与谁不在线谁就落后的今天相比，那时的互联网创业要艰难很多。

创业的道路其实就是走一条别人没有走过的道路。即便做的事情相似，团队不同，资金规模不同，打法也会不同，总之，没有一个创业者走的路与别人是一样的。走一条永远没有既定路线图纸放在你面前的路，你永远要判断你到底该走哪个方向，多少人走，走多快，跟谁一起走，以什么姿势走。而且这条路永远是新的，既然是新的，就不能怕与新事物打交道、与你不了解的人打交道，更不能怕犯错。

创业的艰难，难就难在走新路，而新路的意思是有时原本就没有路，别人也认为不是路的地方，你要蹚出一条适合自己的路，这就是创业最最艰难的事情，当然也是最有魅力的事情。这条路走通了，你就历练了，有经验了，也就成长了！

当支付宝这个产品大受用户欢迎时，此时的阿里巴巴淘宝团队是一个什么样的团队呢？这是一个战胜了外国强大竞争对手的团队，是一个可以走出自己的电子商务道路的团队，这个团队的气势在中国电子商务发展中当然是势不可当的。接下来，马云要打造中国电子商务的生态系统也就是呼之欲出的事情。

人们为什么乐于谈论支付宝

今天支付宝所属的小微金服集团已经被媒体视为下一个可能的金融巨头。和淘宝一样，它的巨大潜力是随着时间推移，一步一步才被人认识的。淘宝和eBay大战时，大部分媒体并未意识到，支付宝在未来可能成为马云创造出的最有价值的资产之一。

马云曾经不止一次地表达过，在中国做电子商务，最大的问题是，所有的事情都需要你自己来做。阿里巴巴做电子商务的历程就表明了这一点：缺乏诚信体系，于是阿里巴巴做了一款名为"诚信通"的产品；缺乏支付体系，于是这家公司不得已要进入第三方支付领域；买家和卖家之间需要交流，这让阿里巴巴开发了适用于电子商务的即时通信工具阿里旺旺。

我们可以再看一看eBay。彼得·泰尔和伊隆·马斯克等人创立的Paypal，已经在为包括eBay在内的电子商务公司提供支付服务。2002年时，eBay更是以15亿美元的价格收购了这家公司。Paypal也是马云和阿里巴巴在创办支付宝时寻找到的对标公司。eBay的买家和卖家可以通过Skype完成交流，但是在中国，这些服务都需要阿里巴巴这家电子商务拓荒者自己建立。

支付宝提供的服务创新性，让它不但受到用户的欢迎，也极具媒体效应。在淘宝上使用支付宝，支付宝相当于提供了抵押担保服务。付给卖家的货款先放在支付宝中，买家收到商品，并且确认无误之后，再使用支付宝完成付款流程。它不仅仅是一个支付工具，更是一个可以提供担保防止被骗的信用平台。

这种服务创新可以激励卖家提供更好的产品和服务。在电子商务领域之外，人们也经常会开玩笑说，建议某种付款流程使用支付宝来完成。中国最知名的作家余华就曾经在一篇专栏中开玩笑说，人们可以使用支付宝来纳税，当公务员提供的服务让人满意时，再确认付款；球迷们开玩笑说，使用支付宝来买球票，比赛让人满意，再完成支付。

这就让支付宝拥有了所有公司和产品梦寐以求的口头传播浪潮——人们会在闲谈中主动谈论起一家公司的产品和服务。

关于支付宝的创办也是备受媒体欢迎的故事。创办支付宝，相当于涉足金融领域。而在中国短暂的商业发展史上，金融一直被视为民营资本很少涉足的禁区。当马云因为电子商务的发展而进入第三方支付领域时，他被认为要冒巨大风险。一个媒体上流传的故事提到，他对同事们说，如果自己要进监狱了，同事们一定要给他送饭。这让一个商业领域的创新举动具备了英雄主义成分。

另一句关于支付宝的广为流传的话是，马云说，如果有一天国家需要，他可以把支付宝免费捐赠给国家。这句话在媒体上引发了很大争议。批评者指责马云是在向政府献媚。但他们犯了旁观者最容易犯的错误：他们不需要为结果负责，因而他们难以设身处地地理解操盘者那种战战兢兢、如履薄冰的心情。

支付宝内部早年流行"裸奔"文化，这也曾是媒体津津乐道的事情。支付宝的高管们会用每个季度、每年的用户数据和交易金额等打赌，当数据达到时，高管会在内部的会议上裸奔。"裸奔"和淘宝的倒立与武侠一样，都是极易被识别的与众不同的公司文化符号，也极易产生传播效应。

节点14

2004年6月，网商大会

经常有人问我，马云你怎么预测三年以后，怎么预测未来，你怎么看待未来电子商务、未来的形势。我想预测未来最好的办法就是创造它。说到做到，坚守承诺！

一定要有梦想

　　网商大会是马云主推的一个概念营销活动，目的是在客户中宣传阿里巴巴的品牌影响力。网商大会于2004年首办，这一年是中国电子商务发展的第10个年头。这10年间，一大批采用电子商务手段发家的商人和企业家，正在形成一个名叫"网商"的群体。他们挑战中国企业数百年来一手交钱一手交货的商务运作模式，试图用互联网的力量改变中国经济的竞争格局，将中国互联网从"网名"时代、"网友"时代，提升到"网商"时代。

　　马云提出来的这种由网民到网友，再到网商，以及整个网商时代的概念，其产生的前提就是2004年互联网环境的改变。这一年，中国的互联网用户增长了1000多万户，总数突破了9000万户，这也就意味着中国目前的互联网用户占中国总人口比例的7%以上。

　　2004年6月，阿里巴巴在杭州世贸大饭店召开了第一次网商大会，1000多名中国网商云集杭州。马云希望网商大会能为网商群体和整个中国互联网事业指明出路，提供广泛交流和相互学习的平台。这一届的网商大会，沃尔玛、英格索兰、联想和三菱重工等国际大买家都参加了。雅虎的杨致远对大会的隆重与盛大感到十分惊讶："我第一次听人说网商，没有想到企业除了在互联网上做广告外，还在上面做生意，这在美国是没有的。在中国的中小企业这里，互联网成为交易的工具，这让我想不到。"马云认为这次大会召开的意义非凡："只有应用电子商务的企业成功了，电子商务产业的春天才会真正来临。"

2004年10月美国权威财经杂志《福布斯》（*Forbes*）公布了该杂志评选的2004年度全球最佳B2B（企业对企业）网站名单，阿里巴巴（www.Alibaba.com）再次名列第一，它不仅是中国唯一入选网站，而且是全球唯一一家连续五年当选最佳网站的企业。截至2004年底，通过阿里巴巴平台进出口交易的总额已经超过100亿美元。

2006年，第三届网商大会在杭州召开，此次会议主题定为"创新赢天下"。蒙牛的牛根生，以及IT业界人士纷纷应邀而至，同时，沃尔玛、宝洁、家乐福等一批采购企业也参加了。与以往会议最大的不同是，这次大会马云提出了"网商节"这一全新口号。阿里巴巴公司与中国电子商务协会经过两年多的努力，把网商大会这一品牌打造成了全体电商从业者的节日。品牌号召力与公信力在全国范围内迅速传播开来，影响力直达中国商业领域的每一个角落。从此，阿里巴巴的业务扩张走上了迅速发展的快车道。

"经常有人问我，马云你怎么预测三年以后，怎么预测未来，你怎么看待未来电子商务、未来的形势。我想预测未来最好的办法就是创造它。说到做到，坚守承诺！"马云的确是坚守着自己做电子商务的承诺，阿里巴巴上的网商数量每年都在增加，网上外贸金额也在不断上涨。

2007年，在第四届中国网商大会上，阿里巴巴集团发布了《2007中国网商发展报告》，报告写道："中国网商经历了网商生存、浮现之后，开始进入了网商崛起的新阶段，中国的网商数量从2004年的400万增长到现在，已经超过3000万。"

2008年8月，第五届网商大会作为APEC工商咨询理事会亚太中小企业峰会的一个重要组成部分，首次推出了全球十大网商评选。除了南极洲以外的六大洲的网商都加入到网商评选的行列中。网商大会的内容也随着电子商务的快速发展而不断扩展，带动了整个电子商务行业的发展。这也标志着大会正式跨入全球有影响力的行业评选及品牌推广。"网商"群体作为世界商业发展中一支重要而活跃的新生力量，必将影响更多的人和地区。

两年后的第七届全球网商大会，其会议主题为"新网商新文明"。也是从此届大会开始，2010年阿里巴巴集团将网商大会与"西湖论剑"两大品牌完美结合，其对全球小企业及网商群体发展的意义和影响将更加深远。

时至今日，每当有人跟马云谈起当年创立网商大会的初衷，他总是强调，未来企业家之间的竞争，不是文凭的竞争，而是信用的竞争，谁信用越好，谁越会成功。他说道："我记得2003年第一次开始思考做网商大会的时候，整个淘宝网的交易不到1个亿，而今年淘宝网的交易超过1万亿，网商从一个概念，到今天变成中国主要的一个商帮力量，在改变、影响着中国。"

坚持就会有回报，在2004年第一届网商大会上，马云就对前来参加大会的人说过："好的商人不在于他的梦想多么伟大，但是他的梦想必须是独特的，任何一个成功的企业家，从第一天起都有一个奇特的梦想。很多年轻人问我是如何创业的，我说创业就是一句话，看你愿不愿意为你的理想和梦想牺牲你的生命，牺牲你所有的东西。所以，一个奇特的梦想非常重要。比尔·盖茨30年前说：'我希望每个桌子上都有一台电脑，电脑里的程序都是我的。'这就是一个伟大的梦想。我们今天有一个网商梦，希望开辟网上的'沃尔玛'，这是基于我做了200万的营业额。如果你一分钱没有做到，说我要做沃尔玛，我相信可能性不大。我做这个企业之前也是一点点来的……你在创业的第一天一定要有梦想，还要坚持这个梦想。"

为电子商务的生态圈鸣锣开道

2004年，也就是电子商务发展近10年后，阿里巴巴做了一件通常是由媒体做的事情，或者说是全国电子商务协会做的事情，这件事就是网商大会。这件事之所以我们要把它单独拿出来做一个节点，是因为网商大会的重要性：

第一，它是阿里巴巴构建电子商务生态圈的推进器。这个大会中有一项评选十大网商，这个评选的颁奖人员来自中国政府、地方政府的相关部门以及全国行业协会。这样一个评奖，其实就将阿里巴巴放到了一个电子商务引领者的位置、一个全国第一平台的位置。

第二，国际平台促进B2B业务的发展。在网商大会中邀请的嘉宾有许多来自世界各地，这样的布局显然考虑到了阿里巴巴B2B进出口业务的发展，为天下没有难做的生意做了一个最好的注脚。

第三，凝聚网商的重要手段。我曾经参加过两次这个大会，大会都放在一个可以容纳3000人的大会场。在这个会场里，来自全国各地的网商济济一堂，好不欢乐。作为一个参会嘉宾，我能非常直接地感受到那些依靠网络创业的人所释放出来的力量和他们眼神中的对致富的渴望。

第四，马云领导力的最好的释放时机。在阿里巴巴每一个关键时刻，马云都会写邮件给自己的员工，表达他的想法和态度，邮件这种形式是他的领导力显现的最好方式，也是阿里巴巴文化价值观的呈现形式。但这是表现在内部的领导力，尽管这些邮件每一封都会泄露，但对外部的辐射力也是有限的。**历届网商大会马云的演讲，则有效地彰显了他在中国电子商务发展生态圈中的领导力。他演讲的对象是B2B和淘宝上的电商，每年的这个演讲，都是网商大会的压轴戏，也是网商们最期待的演讲，是网商大会的高潮部分。**掌声从他上台就响起，中间和结束时都可以听到热情的欢呼声。他的演讲面向的，不仅仅是现场的3000名网商，通过媒体，更多的网商也间接地凝聚在这里。

第五，这是阿里巴巴最好的品牌推广时机。阿里巴巴在2004年把网商大会和"西湖论剑"的时间连在一起，前后好几天。这样的盛会邀请全世界最著名的人士作为嘉宾，政界如克林顿、施瓦辛格，企业界如星巴克的CEO、社会企业界如穷人银行的创办人等，一系列最耀眼的各界明星。在这里，每一个明星的参加都在紧紧地与阿里巴巴相连。在中国，没有任何一个企业可以把如此多的名人整合到一个商业生态圈中。这些活动，即便是一个国家电视台或国家媒体做的顶级峰会，也不过如此。

持续10年的网商大会让阿里巴巴及其业务响遍大江南北、国内国外。每年的9月10日，中国人的视线总有非常大一部分被杭州吸引，被阿里巴巴的马云吸引。

造词的艺术

还有什么市场营销手段，能比生生造出一个词语，然后让它流行起来、深入人心更为高明？

"网商"就是阿里巴巴这样造出的一个词语。2004年，互联网的使用者，网民和网友的概念已经深入人心。造出网商这个词，用马云的话说："互联网将由'网民'和'网友'时代进入到'网商'时代……阿里巴巴有一个使命，就是要把互联网带入'网商时代'。"

马云说，他从2001年起就一直在想："什么时候开一个会议，这个会议的主角就是使用电子商务的人。"当时他发起的"西湖论剑"已经成为中国互联网世界的盛事，按照马云当时推崇的武侠世界的语境，参加"西湖论剑"的都是互联网世界的顶尖高手。而2004年开始的"网商大会"，则是互联网界的"丐帮大会"。丐帮大会参与者云集，有绝顶高手，也有江湖后辈。

在阿里巴巴给出的定义中，"网商"是指"运用电子商务工具，在互联网上从事商业活动的商人和企业家"。马云指出"中国互联网从广告市场的争夺，到短信市场的争夺，到网络游戏市场的争夺，很快要进入对电子商务市场的争夺"。他更是将2004年定义为中国的电子商务年。

自然而然，由于阿里巴巴是全球最大的B2B电子商务平台，绝大多数的"网商"集中在阿里巴巴的平台上，也是阿里巴巴"诚信通"的客户。

当然，大多数公司在进行市场营销和公关活动时，都会想到"造词"，也都会频繁地宣布我们正在进入"××时代"。但是却很少有如"网商"和"网商时代"那样成功的。

原因在于：第一，造出的这个新词，它表述的应当是一种真实存在的现象。虽然第一届网商大会时，阿里巴巴的公关稿件写得可能有些夸张，但是"网商"这个群体的确存在，而且队伍在不断壮大。有一些公司会选择直接通过电子商务平台来创业，也有传统的公司逐渐开始利用互联网和电子商务的平台。"网商"这个名词帮助他们找到了自己的"身份"。

第二，活动要带给参加者真实的价值。2004年，对大多数商家而言，互联网和电子商务还比较陌生，不像今天，电子商务已经成为标准配置。阿里巴巴的网商大会将这些并不知名的网商聚集在一起，帮助他们分享通过电子商务平台进行贸易和买卖的经验。这些经验对于商人而言，是有真正的实用价值的。

第三，趋势、自己的利益和客户的利益应该是一致的。**公司希望借助网商大会推销出去的产品和服务，是真正能够为客户带来利益，并且能够**

推动趋势发展的。这也是阿里巴巴的诚信通和支付宝能够不断地吸引来新用户的原因。

　　这就解释了为什么"网商"和"网商大会"，不会被认为仅仅是阿里巴巴为一己之利造出的名词和活动。

节点15

2005年，杨致远和雅虎
并入阿里巴巴

在中国雅虎上，我们的确犯了很多的错误，但如果回到过去，我们还会买下中国雅虎吗？是的，我们还会买！但我们还会以这种方式吗？不，我们不会了。我们会用更聪明的方法，我没有任何的并购经验，尤其是并购互联网公司。我觉得现在的互联网公司都应该好好想想，能从雅虎的事情中学到什么。如果我们不从别人的错误中学习，迟早有一天也会受到同样的挑战。

连续犯错

市场咨询公司艾瑞的《2005年中国搜索引擎市场年度报告》，与2004年的相比，中国引擎用户使用量的市场份额发生了很大的变化。百度的市场份额从2004年的33.1%上升到了2005年的46.5%，Google由22.4%上升到了26.9%，而雅虎则从2004年的30.2%下降到了2005年的15.6%，失去了市场占有率第二的位置。而且，雅虎中国失去的搜索引擎的市场份额总量相当于百度和Google市场份额提升的总量。

Google一直是雅虎在全球最大的竞争对手，它不仅在本土市场遥遥领先于雅虎，自2005年更是大规模地进军中国市场，这让一直很重视搜索引擎市场的杨致远不能忍受。杨致远一直强调搜索引擎对雅虎的重要性，他很明确，如果这次Google赢得了中国市场，那以后想要反超将非常困难。同时，马云也对搜索引擎市场表现出了极大的兴趣。2005年8月11日，杨致远给雅虎中国全体员工发了一封电子邮件："今天上午，我们宣布与阿里巴巴结成战略合作伙伴……这是雅虎激动人心的一刻，我希望你们能够看到前方巨大的机会，成为这个成功团队中的一员。"阿里巴巴也正式宣布并购雅虎中国，正式达成当时热门一时的"雅巴联姻"。

阿里巴巴收购雅虎中国的资产包括雅虎中国门户网站、雅虎的搜索技术、通信和广告业务，以及3721网络实名服务。同时，雅虎以10亿美元现金和雅虎中国的业务来置换其在阿里巴巴集团40%的经济收益权和35%的投票权。并购成功的同时，马云立刻采取一系列措施进行雅虎的中国"变身运动"，同时提出"雅虎就是搜索，搜索就是雅虎"。于是就有了2005年11月初，马云将雅虎中国曾经的门户网站变成单一的搜索页面的疯狂之举。

马云说："这是中国互联网史上最大的并购行动，我们同时得到雅虎的五朵金花——雅虎中国的资产、品牌、资金、技术和海内外渠道，加上我们6年运营形成的电子商务市场平台、诚信体系和安全支付机制，我们将打造全球最为完整、功能最为强大的电子商务体系——电子商务的四大护法：市场、诚信、支付和搜索。"

为了提高雅虎中国的市场份额，马云一接手雅虎中国，就在不断地转换思路来抢占市场。2005年，在雅巴联姻之后，马云迅速提出"弃门户，改搜索"的策略，精简雅虎中国门户网站，只保留财经、娱乐、体育这三个频道，在渠道政策上采取直销与代理并存的方式。2006年，马云"重拾门户"，重新定位搜索，推出"社区化+个性化"的搜索组合。雅虎中国yahoo.com定位于社区化搜索，而全新搜索引擎名yahoo.cn则定位于个人搜索。同时，雅虎中国首页全面改版，增加了资讯中心、产经中心、个人助理等内容。2007年，马云将雅虎中国更名为中国雅虎，强调将本土化上升到企业的竞争策略的高度。除此之外，马云还把服务器搬到中国，加强专业搜索品牌的认知度。

马云曾对媒体表示："我们不同于百度引擎搜索，百度的用户大多数是学生。雅虎中国需要吸引的是高端用户，并不需要那些对商务不感兴趣的用户，我们将把众多的高收入用户和企业家作为自身的资本，并会对搜索结果的权重进行调整，更加倾向于企业或商业网站。"为了宣传推广雅虎中国，马云花了8000万元人民币在CCTV的《新闻联播》后播放5秒的广告。之后，马云又花费3000万元人民币邀请冯小刚、陈凯歌、张纪中三位当红导演拍摄雅虎搜索的广告。

除了外部的大力宣传推广，对内，马云为了留住人才，给雅虎中国的员工制订了一个N+1的计划。一个月内，如果雅虎中国的员工确实想走，阿里巴巴提供N+1个月工资的离职补偿金，N指员工在雅虎工作的年数。如果愿意留下来，原来的薪酬和职位不变，甚至可以有所提升，还可以得到阿里巴巴公司的期权。

2008年，微软收购雅虎的邀约令阿里巴巴成为全球关注的焦点。雅虎拥有阿里巴巴39%的股票，一旦收购成功，阿里巴巴将难保独立权。在收到微软意图收购雅虎的消息时，马云持有机会从雅虎收回股份的观点，积极筹备资金，做收购的准备。

2008年2月15日，在阿里巴巴的员工大会上，马云首次谈论了他对微软收购雅虎的看法："微软对雅虎的收购事件，不仅涉及阿里巴巴集团的利益，也将直接改变互联网的现有格局，对中国互联网未来走向会产生至关重要的影响。在确保国家、客户、员工及股东利益的情况下，阿里巴巴集团对此高度关注、积极参与，与微软和雅虎公司一直保持紧密联系，并已经为此聘请了数位著名财务顾问和数家律师事务所。阿里巴巴集团会一如既往地坚持独立自主的发展原则，以乐观积极的态度看待变化，不管微软此次并购雅虎结果如何，阿里巴巴集团都不会改变对公司的领导和方向。"

最大投资额再次震惊国内外

2005年，我还在美国布鲁金斯研究所进修，早上打开电脑，看到了来自中国的最大新闻，那就是雅虎投资阿里巴巴10亿美元。我回想起2005年1月我们中国嘉宾，包括马云在内，在瑞士达沃斯小镇吃饭的情景，我又一次想起他并没有回答我阿里巴巴一年的收入大体是个什么量级这个问题时的情景。但此刻，这个公司40%的股份值10亿美元，也就是说，他的市值是25亿美元。用人民币换算一下，公司值近100亿！而当时这个公司还只成立了5年。2006年1月，我们再次在达沃斯一起开会，在这次会议中，按照那天的议程，我们基本在一起。那天有早餐会，有简短的站立式午餐。在下午4点多钟的一个会上，他说今天太饿了，要不出去吃个饭吧，我说我也饿得头有些晕。每年达沃斯6天的会议开下来，身体真有些受不了，不仅早上中午用餐时间都有人在讲，只要讲，你就没有时间吃饭，也顾不上吃。加上会议内容精彩，平行论坛好几个，常常是一天下来饿得难受，累得不行。那天下午4点多钟出来，我们在大会主会场附近一个小餐厅坐了下来，我问了他雅虎投资的故事，他那天应该是把主要情节讲了一遍。我当时没有一点儿商业感觉，只是觉得他融资的过程真是一波三折，觉得他直接认识事物本质的能力超强，那个故事对我来说更像是一个传奇。作为一个媒体人，我被他的商业才干和生动的表述能力所打动。当时想得更多的是，我以后一定要采访他，一定要让更多的人了解他的才能。

雅虎投资是祸是福？

此次互联网上最大的融资也许给阿里巴巴后面的发展带来了雄厚的资金，但这个资金让马云连续犯了几个错误。

第一，进入搜索领域的战略失败。这个融资实际上要在中国把搜索业务做起来，但是阿里巴巴进入搜索的战略选择现在看来明显是错误的，这个错误以雅虎最后的关张做了注脚。2005年这一年实际是阿里巴巴B2B业务第六年，收入规模仍在10亿之内。淘宝正值与eBay的交战期，网商大会只开了一年，电子商务生态圈的目标刚现雏形。在这样一个时间节点上，阿里巴巴是否可以进军与电子商务完全不同的互联网业务，其实需要做非常认真的战略研究。在搜索领域的竞争对手是Google和百度，一个只有5年的互联网公司，可以在两条战线上作战，并且对付像Google、百度这样的敌人吗？这些问题不知道当时的阿里巴巴做战略选择时是怎么回答的，因为这不是一个电子商务系统下面的小业务，或者说分支业务，而是重新开辟了一片新的江山。这个江山如何打下呢？我们看到，拿到钱后的阿里巴巴先是花了8000万在《新闻联播》后播广告，又花了3000万请一线大导演为雅虎搜索拍广告，这些打法的结果大家后来都看到了。在阿里巴巴历史上，进军搜索领域这个错误可能是最大的错误，像马云这样一个长于战略布局的人犯下这样的错误也许我们难以理解，但是当一个公司账上有太多钱时，其实是什么错误都容易犯的。

第二，文化融合失败。阿里巴巴为了融合雅虎这支团队可谓下了大工夫。马云本人就在北京雅虎的写字楼里有办公室。办公室有金鱼，布置得像他长待的样子。为了保持文化的一致性，北京雅虎员工办公区域的布置与杭州的阿里巴巴基本上是一个风格。为了文化上的融合，曾经让全部的北京雅虎员工坐上一列火车浩浩荡荡地到杭州。这些举动都没有办法让这支团队融入阿里巴巴。一个公司如果并购另外一个公司的话，文化融合是一件很难的事情，长于公司文化建设的马云尚且如此，可见这个难度有多大。后面我们看到阿里巴巴并购了许多公司，它们不再做文化融合这样的事情了，每个并购的公司都保持原来的风格，只是在财务和业务的协同上为阿里巴巴服务，这样的并购就容易多了。

开始名满天下，谤亦随之

阿里巴巴在2005年8月再一次刷新了中国互联网的纪录。雅虎以10亿美元现金，加上雅虎中国的资产，换得了阿里巴巴40%的股份。10亿美元在很长一段时间内，都是中国互联网历史上最大的一笔非IPO融资。直到2011年，这一纪录才被京东商城的C轮15亿美元的融资额度打破。

从表面上看，这是一次双赢的交易。对于阿里巴巴而言，它得到了当时全世界最强大的互联网公司之一的背书；对于雅虎而言，持有的阿里巴巴集团股份，已经成为它最有价值的资产。但是关于这次交易的流言蜚语却直到今天也没有消散。

关于这次交易的口头是非之一，是究竟该如何理解这桩投资并购案，是阿里巴巴并购了雅虎中国，还是雅虎控股了阿里巴巴？它可以被理解为阿里巴巴以股权收购了雅虎中国的资产和雅虎在搜索等方面的技术专利使用权——在阿里巴巴2014年提交的招股书中，我们可以看到阿里巴巴每年都在向雅虎支付专利使用费。阿里巴巴也乐于向媒体传递出这种信息，营造出阿里巴巴收购了雅虎中国的舆论印象。

当时的发布会是如此宣布的："阿里巴巴收购雅虎中国全部资产，同时获雅虎10亿美元投资，并享有雅虎品牌在中国的无限期使用权。同时雅虎获得阿里巴巴40%的经济利益以及35%的投票权。"但是当这家公司开始变得越来越大，被越来越多的人推到聚光灯下审视时，人们又开始争论说：这次交易其实是雅虎在收购阿里巴巴的股权，只是马云的雄辩和阿里巴巴的公关，让媒体和公众认为，是阿里巴巴收购了雅虎中国。

随之而来的就是关于控制权的议论。2007年阿里巴巴B2B业务在香港上市之后，招股书被媒体翻来覆去地研究。其中关于董事会席位和CEO职务的条款被解读为：从2010年10月起，雅虎在阿里巴巴董事会的席位将增加到两席，而此前董事会席位是阿里巴巴两席、软银一席、雅虎一席。同时，2010年10月之后，马云作为阿里巴巴首席执行官不可被辞退的条款亦到期。

对比条款原文，我们会发现这种解读有失偏颇。而马云本人关于自己和公司的"控制权"的问题也有言在先。阿里巴巴B2B上市时，他接受采访时针对2010年10月的条款说："我要澄清一下，在收购雅虎后，我一直想回去教书。但是资本担心我不干了，所以收购时特别签订了一定要干到2010年的条款。企业家不是跟着投资者，而是投资者跟着企业家走。在日本我听他们的，在美国我也听他们的，但是在中国就得听我们的，因为我们了解中国的市场。实际上我想走，谁也拦不住。我想改变公司，谁也挡不住。"

阿里巴巴并购雅虎中国之时，淘宝与eBay的大战尚未分出胜负，但凭借"雅巴联姻"，已经足以让马云的知名度再一次高涨。当时我任职的一家媒体公司聘请的一位外国媒体顾问，就一个劲儿地对我们说，应该去访问马云。也是从这时起，马云开始了他名满天下、谤亦随之的时代。

马云入主雅虎中国，伴随他的是另外一位互联网企业家的失落。2005年8月31日，周鸿祎正式离开雅虎中国。在将自己创办的公司3721卖给雅虎之后，曾担任雅虎中国的CEO。在这之后，周鸿祎创办了奇虎360，凭借免费杀毒软件创造出一家市值百亿美元的公司。

2005年另一位春风得意的互联网大亨是李彦宏。在"雅巴联姻"之前的一周，2005年8月5日，百度在纳斯达克公开上市，首日市值逼近40亿美元。百度的两位创始人李彦宏和徐勇当场泪流满面。在网络上流传的庆祝百度上市的照片中，百度员工拉起横幅"百度人民很行"，网友留言说，这明明是"百度人民银行"。

节点16

2006年，《赢在中国》任评委

聪明是智慧者的天敌，傻瓜用嘴讲话，聪明的人用脑袋讲话，智慧的人用心讲话。所以永远记住，不要把自己当成最聪明的，最聪明的人相信总有别人比自己更聪明。

"创业名嘴"诞生

　　《赢在中国》是中央电视台财经频道的一档全国性商战真人秀节目，是王利芬于2006年创立的，是一个为创业者量身定做，迄今为止最具影响力的创业类节目。《赢在中国》希望用中央电视台的资源给无数渴望成功的年轻人搭建一个阳光健康的舞台。2006年、2007年、2008年共举办三届，每届比赛共选出6名优胜选手。冠军将获得一家注册资本不低于1000万元人民币的新设企业经营；亚军将获得一家注册资本不低于700万元人民币的新设企业经营；第三、四、五名将各获得一家注册资本不低于500万元人民币的新设企业经营；第六名则获得注册资本不低于300万元人民币的新设企业经营。优胜选手将出任该企业的CEO，拥有企业20%～50%的股份。此外，为每位获胜选手抽出150名原始股东，共同占有企业15%的股份。

　　三届《赢在中国》节目，马云担任36强进入12强的三个评委之一。每天要花6个小时，一做就是10天。在这10天里，不光是观众，连电视制作团队都被他诚恳、切中要害的点评所折服。马云每天都有一两个关于创业的精彩名句，这些精彩名句不在于词句的动听和华丽，都是实在得不能再实在的东西。

在《赢在中国》节目中，马云被冠上了"创业名嘴"的称号，成为节目中最有特色、最具影响力的评委。他还用雅虎中国和阿里巴巴为《赢在中国》官方网站提供平台，为千百万创业者提供机会。王利芬曾说过："马云的创业其实只有10多年，但他却能将自己的创业心得升华并总结成易懂的朴实语言，有许多东西可以算得上是创业艺术了。但凡有一些创业体会，无不在他一针见血的点评中了解了他所谈及事情的本质。"

马云有非常多的点评通过这档节目传出来后，被许多人当成马云的经典语录收录。比如"创业路上需要激情、执着和谦虚，激情和执着是油门，谦虚是刹车，一个都不能缺少""作为一个领导人，应该控制自己的情绪，很多时候发脾气是无能的表现，合理的情绪控制对于团队的和谐，稳定军心有大作用""大势好未必你好，大势不好未必你不好""诚信不是一种销售，不是一种高深空洞的理念，是实实在在的言出必行，点点滴滴的细节；诚信不能拿来销售，不能拿来作概念""聪明是智慧者的天敌，傻瓜用嘴讲话，聪明的人用脑袋讲话，智慧的人用心讲话。所以永远记住，不要把自己当成最聪明的，最聪明的人相信总有别人比自己更聪明"等。这些精彩的点评无一不在证明马云的"创业名嘴"之称。正是通过《赢在中国》这档节目，普通大众真正地了解了马云，了解了他所做的阿里巴巴，了解了他对梦想不懈的追求。

王利芬对马云的一段解析尤为精辟："马云是一个传递创业价值观的人。做此类事情的人是一个被理想和激情在驱使的人，是一个对社会有极强责任感的人，是一个不只是看眼前或自身的一己之利的人，是一个有一定的精神世界空间的人，是一个释放着人道和人文关怀的人，也是我们这个转型时代里旧的价值观过时，而新的又未建立时所需要的人。"

在马云身上，还有一点是一般人做不到的，那就是他没有一点儿虚荣心，他不怕没面子，能十分坦然地面对自己不太成功的过去，连自己的长相也在自嘲之列。这一点对一个人来说真的不容易，而且有许多人因为做不到这一点而将自己放大或架了起来，之后不断地为这个放大的或被架起来的自我费许多精力去演戏。而马云不用，他台上台下都是一个人，真实地描述自己的不足，也真实地表现自己的才华。我很难想象什么人能将马云忽悠起来，也很难想象什么人能把马云的自信打下去，让他自卑。作为人，他始终处在一种极为清醒的状态，基本不会失去自我。作为记者，我不知亲眼看过多少人在他们不熟悉的状态下变得不是他们自己，然后又要为这种无法控制的变化付出代价。这种状态如果量出一个温度的话，是零摄氏度，零摄氏度就是永远知道自己是谁，当然也知道怎么做。

能创业还能总结的企业家极少

有许多人曾经跟我说，《赢在中国》让马云变得家喻户晓了，你对他的成名起到了很大的作用。我的回答是，没有马云，《赢在中国》会逊色很多，正是因为有那么多优秀企业家的加入，《赢在中国》这个节目才有一些价值。我只不过是像一根线一样把那些珍珠穿起来了。我希望马云做我的嘉宾源于那次在达沃斯吃饭，他告诉我雅虎投资10亿美元的过程，讲完后我被他讲述的才能和创业的艰辛深深地打动，除了联想的柳传志柳总，我还真没有看到过在表述上如此接地气，如此见本质的企业家。作为一个媒体人，我实际上一直在寻找这样的嘉宾。那个时候，《赢在中国》正在策划中，从一开始马云就被安排作为评委，因为他的表达既有内容又有张力，非常适合媒体。后来回北京后，我约他在现代城的一家咖啡厅谈事，主要就是想邀请他参加《赢在中国》，做评委。我说想做一档号召年轻人用创业的方式实现人生理想的真人秀节目，让大家了解改革开放30年后的舞台已经涌现了一批靠自己的商业智慧而努力奋斗成功的企业家。随着时间的推移，这个舞台上要涌现出更多的年轻人，他们用创业改变自己的人生。我说完这句话，他就说："我认可你这个价值观，为了这个价值观，你说吧，我该怎样做。"我说需要你大量的时间，一共三个赛季。他说没关系我认可的事情会做的。此后在三个赛季共两年半的时间内，需要他到场，他风雨无阻，从未迟到、早退，在现场从未因公司的事情出去接电话耽误拍摄。

《赢在中国》所面对的都是创业者，也都是他最熟悉的群体。在给每一位选手的点评中，他过去的积累如山泉般一点点涌出，每一个创业者的疑惑和难点都激发着、调动着他过往创业的经历。他用这个机会进行了总结和提升，对那些难以归纳的东西做生动的、接地气的总结，让更多的创业者在创业这条充满变数的路上抓住一些确定性的东西。

《赢在中国》这个舞台的气场和他太般配了，他在这里的每一次点评、每一个演讲，似乎都与他的创业经历血肉相连，水乳交融。他可以把复杂的事情简单化，把简单的事情一针见血化，把具体的事情高效地浓缩，把抽象的问题情景化，他有细节、有方法、有激情，还有理想。他的点评让现场的选手折服叹服，即便是不懂创业的制作团队在摄像机后面、在导播台上都会不由自主地说，这个评委太厉害了。

《赢在中国》结束后，我与他一起参加大连达沃斯会议时，发现他很快被人认出并围住。人们对他充满着热情。很显然，观众朋友也被他到位且实用的点评打动了。

赢在电视

2006年至2008年，中央电视台财经频道三届《赢在中国》，将马云在创业人群心中的地位推向了最高峰，他开始成为公众眼中的"创业名嘴"。我同一些互联网公司的市场公关人员交流时，他们往往会表达出对马云"创业名嘴"定位的艳羡——当然，阿里巴巴和马云本人未必真正刻意思考过这个定位。

对马云在《赢在中国》上的表现最贴切的赞美，是在"3Q大战"之后，腾讯的一次内部会议上。2010年腾讯与360的大战，以及之前造成了腾讯公众形象的低谷的报道《"狗日的"腾讯》出现之后，腾讯召开了名为"诊断腾讯"的讨论会，参加者都是互联网领域的一些意见领袖。在"诊断腾讯"的讨论会上，阿里巴巴被当作一个正面的例子："一方面通过《赢在中国》等一系列策略，马云展现出一个青年创业导师的形象；另一方面，关于'网货、网商、网规'的'新商业文明'理念的提出，也切合并推动了国家和社会的发展大势。"

马云选择参加《赢在中国》，不排除涉及同制片人王利芬个人友谊的因素，但事后总结，其中的确有很多值得学习的地方。马云在参加《赢在中国》节目的同期及之后，同样有很多商业精英参加各种电视节目，但能够像马云那样通过节目彻底塑造出公众眼中的一个明确形象的，几乎没有。

首先是媒介和平台的选择。尽管互联网在向包括报纸、杂志、广播电台和电视台在内的所有"传统"媒介形式发起冲击，所有这些"传统"媒介形式也天天在被人议论着，有被颠覆的危险。但就单个节目内容能抵达的人群而言，电视仍然是强势媒介。而在所有电视台中，播出《赢在中国》的CCTV2显然是一个比其他电视频道更加强势的播出平台。电视在我们这个时代发起流行的作用仍然不可小觑，尽管人们都在争着说这是一个互联网传播的时代。

其次是节目定位和企业家个人定位的重合度。中央电视台在介绍《赢在中国》时说，它是"2006年中国空前的寻找创业英雄的'造星'事件，更是一个让具备商业潜能的英才横空出世的平台"。评委们面对的是真正的"创业者"。对于马云而言，B2B的阿里巴巴和C2C的淘宝平台上，都有大量的创业者。如果我们看马云在网商大会上的演讲，也会发现他总是在赞美小而美的公司，总是强调要帮助中小创业公司和它的创业者。**《赢在中国》因而和马云一贯的价值观，和整个阿里巴巴平台上的人群都是高度重合的。**

之后包括张朝阳、周鸿祎、王小川在内的互联网企业家，参加过湖南卫视收视率很高的《天天向上》，但单期的娱乐节目显然没有在个人公众形象的定位上起到作用。

再次，是企业家个人所处阶段的考虑。2006年初参加《赢在中国》时，马云已经因为"雅巴联姻"声名大振。接下来发生在《赢在中国》播出期间的重要事情还有：eBay退出中国和阿里巴巴B2B上市。这些事情都让马云更加引人注目。也就是说，他在参加《赢在中国》时，他和阿里巴巴的状态，并不像同期参加的评委嘉宾那样，已经彻底地"功成名就"，公司的市场地位和商业模式也已经成型，不会有太多变化。恰恰相反，他和他的公司正处在一个高速变化和增长的阶段。不断发生的新闻事件和他在节目上的定期露面，交替推动着马云"创业名嘴"的声誉不断高涨。

最后，名气不断高涨的是马云本人的妙语连珠。直到今天，我们仍然可以在机场的书店里看到，马云在《赢在中国》上的演讲在循环播放，电视机前围着一群穿衬衣的人在认真观看。

《赢在中国》自身的成功也是重要原因。根据王利芬后来在采访中透露的信息："《赢在中国》在全国所有频道的同档节目中收视率最高，达到0.3%；直接选手30万，收视者过亿；在《中国电视网络媒体最有影响力》的报告中，在'最具网络影响力的十大电视事件'里，《赢在中国》排名最前。"

当创业成为"时代精神"时，一档制作精良、有着巨大影响的创业类选拔节目，将本身就是个创业者的马云推上了"创业名嘴"的位置，至今无人可以逾越。

扫一扫，看《赢在中国》精彩视频。

节点17

2007年11月，B2B上市

成功绝对不是马云一个人的。几千人为此做出了很大的贡献，坚持了8年。中国整个互联网的行业和产业有很多B2B和电子商务倒下去。我们的时机很好，有时候运气也很重要。我们公司是一家运气很好的公司。我们的成功绝对不是因为我们的勤奋，也不是因为我们聪明。当然我们也勤奋，我们也很聪明。但我们还要运气，我们也付出过代价。当然今天还不能说成功，我们只是在一个新的台阶上。

抓准时机

2007年11月6日上午10点，国内最大的电子商务公司阿里巴巴B2B公司（1688.HK）在香港联交所成功挂牌上市，开盘价30港元，比发行价13.5港元上涨122%。

阿里巴巴上市前，他们对认购的预期是400亿美元。意料之外的是第一站在香港路演后就募集到360亿美元，到新加坡之后达到了600亿美元，最后到纽约已经募集到1800亿美元。马云他们最初将发行价定在12港元，在看到那么好的路演情况的时候，有人建议发行到24港元，每股多1港元就能多出10亿港元。所以，如果他们将发行价提高到24港元，那他们将多获得120亿港元。就在当晚，马云召集团队开会，告诉他们要在诱惑面前学会说no，因为贪婪是要付出代价的。最终他们将发行价定在了13.5港元。

阿里巴巴首日开盘价为30港元，收盘39港元，暴涨192.59%，上市两个月后最高价达到了41.8港元。阿里巴巴迅速成为港股"新股王"，成了国内外媒体争相报道的"中国最赚钱的"互联网公司。对于这样的成功，马云表现得十分低调谦和，在一次媒体采访中，他说："成功绝对不是马云一个人的。几千人为此做出了很大的贡献，坚持了8年。中国整个互联网的行业和产业有很多B2B和电子商务倒下去。我们的时机很好，有时候运气也很重要。我们公司是一家运气很好的公司。我们的成功绝对不是因为我们的勤奋，也不是因为我们聪明。当然我们也勤奋，我们也很聪明。但我们还要有运气，我们也付出过代价。当然今天还不能说成功，我们只是在一个新的台阶上。"

针对B2B的上市，马云曾表示："这证明我们当年的判断没有错，B2B不仅能成为一种商业模式，而且是代表未来趋势的一种商业模式。我认为单独上市与集团上市还是有区别的，尤其是中国电子商务才刚刚开始，需要三年，甚至五年的基础建设。如果整个集团集体上市，无论是资本市场的压力，还是员工的动力，包括考虑整个环境的因素，我认为对整个电子商务市场的发展都是不利的。B2B上市以后，其他公司也能有比较好的发展空间和资本空间等。B2B上市也跟我们的计划一样，就在几年前，我们也不想上市，但我们认为现在是一个很好的时机。抓住很好的机会上市，对整个中国电子商务或者中国互联网市场，都能产生比较大的影响，或者有很好的提升。"

选择在香港上市对阿里巴巴而言意义重大。在香港的联交所能体现阿里巴巴的价值，能给全世界、全亚洲、全中国的高科技公司传递一个信号：香港并不比纳斯达克差，虽然纳斯达克也是一个融资的好地方。同时，香港也通过阿里巴巴的上市证明了自己的能力。

务实的商业模式

当马云在《赢在中国》现场侃侃而谈时，其实我或许还有更多的中国观众并不了解阿里巴巴是一家什么样的公司。在我的脑子里，阿里巴巴是一家互联网公司，是一家高科技公司，是一家在网上就把钱赚了的公司。

2009年，当我到阿里巴巴上市公司B2B业务的办公大楼杭州滨江区参观时，我真的大吃一惊。楼上一层层的都是电话销售人员的工位，当时是周末，即便没有人的工位，你不用想象，也能看出其规模的宏大。每人一个小格子工位，每位员工的标配是一个像主持人那样的耳麦。在大片的电话销售员工中，有各种标记，有的是销售标兵，有的是当天、当月的冠军，有我们常常看到的锦旗，或者带有武侠风格的各种标志。据当时阿里巴巴公关部的员工介绍，这些销售人员打电话的声音很低，都训练过，如果按照自然声打，是无法在这么多人的一个办公室同时进行如此多的通话的。

当时那些销售人员打电话销售的就是"诚信通"这个产品，当然还有国际会员资格。当我看到好几层楼这样的销售格局后，才真正明白阿里巴巴的收入靠什么。

2007年上半年，阿里巴巴公司总收入为9.58亿元，税前利润约4亿元，净利润2.95亿元，净收益率达到30.8%。在未从集团分出前，阿里巴巴B2B业务的利润便保持每年两倍多的增长速度。2005年，阿里巴巴公司税前利润额为1.034亿元，比上一年同期的2850万元增长了2.63倍；2006年税前利润额为2.914亿元，是上年同期的2.82倍。

阿里巴巴公司招股说明书数据表明，截至2007年6月30日，其注册用户已达约2460万名（国际贸易平台360万名，中国贸易平台2090万名），付费会员超过25.5万名。2005年阿里巴巴注册用户数量、付费会员数量的增长率均为83%。2006年注册用户数量、付费会员数量的增长率分别为83%、55%。

一个是互联网产品的销售收入，一个是注册会员的人数，也就是用户，再加上阿里巴巴的品牌，使阿里巴巴当时在香港的发行盛况空前。

回想有许多互联网公司其实是瞧不起线下这种电话销售的，更看不起其推销的方式，认为很低端。这就像很多做营销的人，看不起史玉柱在铁路旁边的民房上刷上"送礼还送脑白金"的标语一样。**其实无所谓高级与低级，实现目标就是高级，不能实现目标就是低级。在商业上，只要不违法，手段的使用一定要务实。没有务实的心态，目标难以实现。**

说老实话，站在那一大片一大片的销售工位中，你很难想象这与马云之间的联系，但正是这样的销售团队带来了阿里巴巴可观的收入、可观的利润。

创业者对上市时机的把握

2007年1月，在瑞士达沃斯开会期间，马云透露阿里巴巴要考虑上市的问题。当时听后我还在想，我好像看到有新闻说阿里巴巴暂时不上市啊。在离开达沃斯时我记得他说了一句，金融危机要来了。这个判断在当时的达沃斯峰会上有人提过，但不是很强的声音，只是对未来经济发展局面多元判断中的一种。因为我本人没有公司，也不会想这件事情的影响。但是马云却记住了这个观点，他把这个判断与公司上市紧密地联系在了一起。一个公司上市通常需要半年以上时间准备，从2007年上半年，到2007年10月阿里巴巴在香港上市，也只有几个月的时间，应该是他从达沃斯回来后就着手准备B2B业务的上市了。

2008年当金融危机来临时，我们惊讶地发现，如果阿里巴巴再晚几个月，基本就不可能上市。我们很难清晰地描述B2B业务的上市对阿里巴巴集团的推动，但在金融危机期间，募集如此大的资金额度，为后面淘宝的发展和阿里云计算的部署起到了重大的作用。

一个创始人一个公司的一把手如同船长，前方海面何时有风暴，何时需要避开，何时需要迎上去，这个火候的把握是一个船长的看家功夫。马云不止一次地说过达沃斯是一所学校，而达沃斯的所有论坛都不会谈具体问题，都是对未来两三年内世界将会发生什么的判断。在达沃斯，我看马云即便在会场中间，也会小声打电话给杭州，基本上是活学活用，即学即用。

一个创业者，要搞定与投资人的关系，要弄清企业发展的方向，要带好团队，要看清大的时局，还要对未来有认知。我们可以想象，如果阿里巴巴错过了2007年的上市，又会怎样？有一点是可以肯定的，阿里巴巴发展道路上的代价会更大。

成为符号，但也开始沉默

2007年底，《财富》杂志（亚洲版）选择了马云作为封面人物。在名为《马云之道》（*The Tao of Jack*）的封面文章中，《财富》杂志赞誉他为"中国互联网之王"，说"他推动和促成了自Google以来最热门的互联网公司的IPO，打败了eBay，联合雅虎一起建立了中国最大的网上交易市场"。马云也是第一个登上《财富》封面的中国互联网企业家。

仅就市值而论，阿里巴巴B2B上市之后，马云的确是当之无愧的"中国互联网之王"。

2007年11月6日上市当天，阿里巴巴市值达到惊人的260亿美元，相当于新浪、搜狐、网易、盛大与携程的市值总和。其日后最大的竞争对手腾讯在2007年的市值刚刚突破百亿美元。阿里巴巴也一跃而成为全球第五大互联网公司，仅次于Google、eBay、雅虎和亚马逊。

马云在BAT时代之前的"成就三部曲"就此完成：2005年将雅虎中国纳入囊中，2006年击败eBay中国，2007年登陆纳斯达克成为全球第五大互联网公司。据说他在上市当天的高管会议上宣布了新目标：三年之内阿里巴巴要成为市值1000亿美元的公司，成为全球前三大互联网公司。

关于上市，有一个精彩的故事是马云曾经对我讲述过的。这个故事同他最为看重的"承诺"有关。"2007年，我在2、3月有IPO的想法，到了7、8月，我很焦急：加快、加快、加快，越快越好，要出事儿了，一定要给我上。我说，不管怎么样，11月的时候一定要给我上市。好了，在各种不可能的情况下，安排好在11月5日上市，礼拜一。我说，好。但是突然我记起一件事情。11月5日我答应了辜濂松，台湾的辜家，有个演讲。这个演讲是一年前在APEC会议上答应他的。当时我说不去，他说人都请好了。我只有说推迟推迟，IPO推迟，推迟一天（11月6日）。所有的律师都恨死你了，催也是你，推也是你。**我说我要去，答应都答应了。结果我那天就去了台湾，股票那天狂泻下来。结束以后我回到香港，第二天上市，结果那天整个股票市场开始涨，我们趁势而上。这是一件事情，关于承诺。"**

在上市当天举办的新闻发布会上，马云说，这次发布会将会是他未来一年内最后一次接受采访。后来他在参加信产部、国务院信息化工作办公室和计世传媒集团举办的2007年IT两会时，解释说："我不希望在一年内再接受记者的采访，这两年我讲了很多，大家不一定相信……我们自己也需要一段时间静下来好好地做，因为中国互联网走到现在不容易，要走下去，走得更久更不容易……所以今天我想少讲一些，多做一点儿，打下一个很好的基础。"

关于马云的沉默还有更夸张的事情。2008年初夏，马云到重庆北碚缙云山白云观住了三天。三天中，马云一言不发，禁语。三天中他做得最多的事情是抄写经书。此后，屡有马云禁语的新闻出现。

和马云对公众的沉默形成对比的，是公众舆论对他的狂热。2008年1月27日，在上海市政协会议上，上海市委书记俞正声在发言中问道："为什么像马云这样的人，在我们这儿没有成长？可能我们多少有一点儿问题。"接下来，是广东省委书记汪洋率队到杭州去访问阿里巴巴。其他地方为什么没有产生马云，成为了2008年最发人深省的追问之一。

自此马云已经成了公众眼中的一个符号，关于他的图书层出不穷地出现在书店里，各种媒体都开始近乎狂热地想要采访到他。

节点18

2008年，做阿里云

人们一直认为阿里巴巴的技术可能是中国互联网中最差的，百度李彦宏懂技术，腾讯马化腾懂技术，只有马云什么都不学，好像认为马云很差。其实正因为我不懂技术，我们公司技术才最好。

超前布局，拥抱变化

2008年7月5日，是淘宝网成立五周年庆典。阿里巴巴集团董事会主席马云透露，阿里巴巴集团制订了未来十年的战略规划，并且将自身定位从"世界三大互联网公司之一"，修改成了"全世界最大的电子商务服务提供商"。

一年后的2009年9月10日，阿里巴巴举办了十周年庆典晚会，马云出席并发表了演讲，并宣布成立子公司"阿里云计算"。"阿里云计算"也成为继阿里巴巴、淘宝、支付宝、阿里巴巴软件、中国雅虎之后，阿里巴巴集团的第八家子公司。两周之后，阿里巴巴宣布，将支付5.4亿元人民币的现金，分两期获得国内领先的互联网基础设施服务提供商中国万网，在中国营运的股权，以加速协助中小企业客户由"Meet at Alibaba"迈向"Work at Alibaba"的10年愿景战略部署。

马云为公司做出这个转变的解释是："Meet"就是把客户聚在一起，就像做水库，如果养鱼，没什么意思，如果做旅游，还要花费水电，所以，"Meet"的钱都是小钱；"Work"则意味着水库要铺管道，把水送到家里变成自来水，自来水厂赚的钱一定比水库多。我就希望电子商务对每一个中小企业来说都能像拧自来水一样方便。这次转型主要是向更专业化的方向调整。我们认为去年、今年和明年是电子商务的一个积累期，到了2008年、2009年必然有一个爆发。因此我们必须抢在这个变化前先变，而不是等到出了问题再去想办法解决。这是阿里巴巴保持变革能力的关键。互联网世界总是充满风险的，谁能拥抱变化并且具有大胆追求的勇气，谁就能在这个领域里生存下去。而阿里巴巴恰恰具备了这种勇气。

在当时，没有多少人能够想象此刻的规划会给中国的电子商务的未来带来多大的转变。"我相信上个世纪的IT行业是纯粹为制造业服务的，这个世纪的IT行业则是为消费者服务的，因此未来电子商务将会改变世界。所以我们希望在未来发展过程中，能够为整个中国打造电子商务的基础建设。"马云说，"电子商务这个行业需要大量的产业加入，无论是物流还是认证，各方面公司都在进入。所以营造整个电子商务的生态链系统，将是阿里巴巴集团未来5年中重中之重的战略。"

在马云看来，10年之后绝大部分的企业都将是电子商务公司，因此阿里巴巴集团已经不需要再把自己定位为电子商务公司，而应该提供各种各样的服务，去帮助更多的企业成为电子商务公司。"我们以前把自己定位为世界三大互联网公司之一，今天我们把它改为全世界最大的电子商务服务提供商。"

2008年阿里巴巴宣布成立"电子商务云计算中心"，云计算业务的地位空前重要。在互联网金融业务之外，它可以增加资本市场对阿里巴巴的想象力；与国内其他互联网公司如百度相比，面向广大中小企业的云计算服务，更符合阿里巴巴的优势定位：数据与平台。

2013年7月，阿里巴巴完成了为期3年多的"去IOE"，不再使用IBM的小型机、Oracle的数据库和EMC的存储设备，完全使用廉价PC组成超级计算机集群。在中国，阿里巴巴真正实现了"去IOE"。2013年10月，阿里巴巴完成独立研发的飞天5K计划，单集群服务器规模达到5000台，100TB排序能在30分钟内完成，远超Yahoo同年7月创造的世界纪录——71分钟。阿里云计算成为世界上第一个对外提供5K云计算服务能力的公司。也许单纯的数据并不能给人以具体的形象，经历过"双十一"的疯狂级数流量的检验更能直观地表达阿里云计算这些年的成就。2013年，阿里云计算支撑了2013年"双十一"75%的交易量，成为集团业务背后坚实的服务平台。截至2014年上半年，阿里云计算已拥有近百万不同行业领域的用户。

乔布斯2007年重新定义了手机，随后Google推出Android系统，随着无线技术的发展，互联网进入无线互联时代。作为无线互联的最佳载体——手机，引来各方混战。作为互联网时代巨头，阿里巴巴不甘人后。在该背景下，阿里云OS事业部诞生，隶属阿里云计算事业群。在决定做手机操作系统后，阿里云计算总裁王坚曾找马云交谈过一次，马云说："是个孩子就要生下来，孩子生下来可能很难看，但漂亮是靠养起来的。"马云所讲的"孩子"，指的是阿里云计算正在积极推广的阿里云计算OS。与目前其他众多互联网公司所部署的手机OS不同，阿里云计算OS是基于Linux开发，与Android平行，比ROM更底层的手机操作系统。而之所以称为"孩子"，是因为手机操作系统的开发，承载着阿里巴巴在手机上的平台梦。2012年，阿里云计算OS脱离阿里云计算公司，成为与阿里云计算服务部门并列的两个BU（事业线）。

"假如我是一家手机生产商，而且唯一的选择只有Android，我会被吓坏的，公司都希望至少有两家供应商。"在2012年9月13日阿里云计算和宏碁发布会前半小时的时候，主办方宣布临时取消。阿里云计算公告称，宏碁受到来自谷歌方面的压力。"宏碁方面接到谷歌通知，称如果在其新产品上搭载阿里云计算操作系统，谷歌公司将会解除与其Android产品的合作和相关技术的授权。"

很少出面的谷歌高级副总裁、Android之父安迪·鲁宾称阿里云计算系统是"山寨版"Android，但又不兼容Android，这将弱化生态系统。谷歌此举是为了防止安卓阵营的硬件基石开放，手机联盟（OHA）分裂。阿里巴巴集团CTO兼阿里云计算总裁王坚回应称，阿里云计算OS是独立的操作系统，而不是安卓生态系统的一部分。

阿里巴巴宣布，阿里云计算OS（云操作系统业务）将独立于阿里云计算事业群运行，从事云计算、手机操作系统两大业务，接受集团直接管理。马云宣布，阿里巴巴将向云OS业务投资2亿美元，并加强在人才、技术和设施上的投入。阿里云计算和智能物流骨干网（菜鸟物流）、阿里巴巴和马云正一步步完成底层建筑。在这个疯狂迷信移动互联网的时代，作为当前中国最成功的互联网公司，马云却试图从更加现实和底层的角度让阿里巴巴更加脚踏实地。

淘宝之后又一重要战略选择

2009年9月,他跟我说起了一直在布置云计算,说了许多这件事对未来的影响。说老实话,我当时真的没有听懂,只是觉得公司大了,多了一项业务而已。再加上我当时一门心思想着自己创业这件事,他所说的云计算的事情真的就如同过眼烟云一样飘走了。但是,2013年11月11日,我参加他们的光棍节,听马云和曾鸣与几十位企业家交流未来的发展趋势是C2B时,我再次回想起他2009年布置的云计算这件事,感叹他超前的战略布置能力。如果没有云计算,今天阿里巴巴无论是海量交易处理,还是未来DT的选择,都想象不出它有什么优势。

不懂技术的创业者要会判断技术

马云的确不懂技术,但是他听得懂某种技术对于阿里巴巴发展的重要性,否则他不会早于平常人四五年的时间布置云计算。

我们到今天并没有看到任何资料显示他在初期创业时因不懂技术吃过苦头。阿里巴巴网站的建立是需要技术力量的，我不知道这一关他是怎么过的。如果说后来他只需要判断某种技术对战略的作用即可的话，在创业初期其实并没有那么简单，可能一些技术开发人员都要自己去找。一个学英语出身的人要弄清楚PHP工程师、运维运营、UI设计、UE设计都是做什么的，一个网站的运营需要什么类型的人，其实都是需要花些时间的。然而，这些历练在海博翻译网络公司和中国黄页，以及外经贸部的创业过程中已经完成。从他的"十八罗汉"中，我们可以看到三个技术人员，这三个人其实解决了他创业开始时最大的技术难题。

技术雄心

马云在技术上的雄心是一步一步被媒体认识到的。即使到今天为止，大部分人对阿里巴巴的技术能力仍然没有太大概念。这可能是由四个原因造成的。

一个原因是，大多数商业记者不是工科出身，对技术没有概念，也没有鉴别能力，我本人就如此。我们没有能力去判断一家公司的技术实力，是否真如他们所说的那样强大，或如对手所说的那般弱小。

另一个原因是，媒体对BAT三家互联网巨头天然有一个定位。在这个定位里面，百度是技术强，腾讯是产品强，阿里巴巴是战略强，这同三家公司的历史有关。百度创始人李彦宏是计算机专业出身，拥有"超链分析"技术专利，这项专利被誉为"奠定整个现代搜索引擎发展趋势和方向的基础发明之一"。至少在创业初期，他被认为同谷歌的拉里·佩奇和谢尔盖·布林一样，是一名技术型的创始人，自己会写程序。腾讯的创始人马化腾的专业也是计算机应用，工程师出身。产品一直是腾讯公司的强项，从早年的OICQ到现在的国民级应用微信。而马云则是英语教师出身，从阿里巴巴的历史来看，也一直是以商业模式和战略布局见长。一些媒体人称马云是中国企业家中柳传志之后的另一位战略大师。

第三个原因是，阿里巴巴也没有刻意地去向外传播它在技术上的努力和雄心。直到2014年，当马云在一封公开信中说："以控制为出发点的IT时代，正在走向以激活生产力为目的的DT数据时代。"并且称公司在五年前已经确定"开放数据平台"为集团战略目标，已经重兵布局云计算时，大多数人应该是惊讶的。因为我们的目光在过去五年间其实是被阿里巴巴在电子商务方面眼花缭乱的变化所吸引："双十一"、聚划算、B2C的淘宝商城、B2B上市公司的变化……我们虽然知道阿里巴巴集团下有一家公司叫"阿里云计算"，但是坦白讲并不知道阿里云计算的技术能力和在公司中的地位究竟重要与否。毕竟，"云"已经成为互联网公司重要的标准配置了。

因此，当马云2014年在北大的阿里巴巴技术论坛宣布阿里巴巴的技术是中国互联网公司中最好时，我坐在前排，听到这些话非常惊讶，但我同样无法判断。

马云的原话是："人们一直认为阿里巴巴的技术可能是中国互联网公司中最差的，百度李彦宏懂技术，腾讯马化腾懂技术，只有马云什么都不学，好像认为马云很差。其实正因为我不懂技术，我们公司技术才最好。不懂技术，但我对技术尊重，我们没法吵架。如果我很懂技术，我们公司的技术人员就会很悲催，我三天两头会告诉他们应该这样应该那样。因为我不懂，我才会好奇、敬仰地看着他们说，就应该这么做。

"事实上也是这样，阿里巴巴的云计算在中国能够发展成这样，在全世界发展成这个样子，重要的原因是我不懂。这不是笑话。王坚知道，6年以前，整个阿里巴巴决定未来的发展方向是哪里的时候，我们认为数据是未来的方向，云计算是未来的方向。但是到底怎么搞，发展5K技术、5000台机器、登月项目等，讲了很多名词，我都没听懂。总之我认为这个一定是未来，不管怎么样，咱们一定要搞下去。"

阿里巴巴在技术能力方面又一次让人印象深刻，是当媒体突然开始讨论"去IOE"时。全世界所有大组织的服务器、数据库和存储设备，基本上全部由IOE，即IBM、甲骨文和EMC提供。阿里云计算的技术则让阿里巴巴集团用成本更加低廉的软件取代IBM和EMC的小型机设备，以更加低成本和更加安全的方式构筑自己的服务器和数据库。2013年5月17日，最后一台小型机在支付宝下线，标志着阿里巴巴已经完成了"去IOE"。这在很多中国公司看来，基本上是不可能完成的任务。

阿里巴巴在技术上的雄心迟迟没有被公众意识到，最后一个原因是，它缺乏一个具体的可以被公众认识到的象征。它不像腾讯的微信，也不像阿里巴巴自己的余额宝，是一款普通人可以使用，因而有切身感受的产品。甚至也不像百度在人工智能方面的努力，可以通过吴恩达这个具体的人来代表。当安卓向阿里巴巴的云OS开战时，媒体和公众可以意识到阿里巴巴在操作系统上的进取心——这一次，有了一个可视的强大的对标公司。但是，由于谷歌和安卓在公众印象中实在是太过强大，阿里巴巴的努力可能只被理解为一次中国公司的"不自量力"。

对媒体而言，我们是这样错过一个重要的故事的。

节点19

2009年，阿里造节，"双十一"

今天中国的服务是最昂贵的产品。以服务为导向是将来的趋势，收费最好。你要想把服务做好，就需要让你的客户不需要服务，形成一套体系和制度，不是安慰，不是去道歉。

C2B时代到来

2009年八九月，淘宝商城的商家还没有那么大规模的时候，阿里巴巴希望做一个网上购物节。选定在11月，是因为这个月季节变化快，消费者需要买的东西特别多，而且11月没有很多大的节日。在这样一个月份，消费者既有需求，又没有大的活动，选定11日是因为这样的日子比较容易记。

2009年的"双十一"只有27个品牌参加，可最终做了5200万元的销售额，比平时淘宝商城的销售额要高出很多，参加了的商家都出现了热门商品断货的情况。由于2009年效果很好，2010年的时候大家比以前也更有信心了。为了防止出现上一年的断货现象，商家甚至将线下的一些货拉到了线上卖。当天的销售额高达9.36亿元，超过了香港一天的零售额。但是同时，这么高的销售额带来了大范围的爆仓状况。因为当时的物流没有准备好，当时行业对电商的认识仍然处于简单的互联网供需界面的状态。

2011年是举办"双十一"的第三年，天猫做出了33.6亿元的销售额，出现了单个商家销售过千万的现象。由于前两年的高销售额，很多国内的品牌，甚至国际品牌，开始进入电商。但是随着电子商务部门的销量越来越大，商家就出现了"渠道冲突"：新的渠道做大了，老渠道收缩了，两者就出现了冲突。

后来为了解决这些冲突，商家设计出差异化的新品上市时间，网络专供款等产品，让消费者有不同的体验。同时，有了去年的前车之鉴，各家物流公司开始专门为"双十一"进行部署，对包裹流量进行了控制。但是旧问题解决了，总会出现新的问题，银行支付这个环节又爆出了问题。交易要形成就必须完成支付行为，这个时候网上银行的容量及稳定性就成了问题。自2011年开始，"双十一"已经放入企业的预算和大体系中去考虑，不是预算外的东西了。

改善用户体验，让客户不再需要服务，就能够享有很好的购物体验，这是马云追求的商业模式，其实，"双十一"看似简单，却并不简单，整个模式都是为了诠释"最好的服务是让客户不需要服务"这句话。马云曾说过："我认为电子商务本身就是一个服务型的行业，是以服务为导向的。服务是全世界最贵的产品，最贵的服务就是不要服务。完善一套良好的服务体系非常重要。丢掉一个大客户不会使天塌下来。今天中国的服务是最昂贵的产品。以服务为导向是将来的趋势，收费最高。你要想把服务做好，就需要让你的客户不需要服务，形成一套体系和制度，不是安慰，不是去道歉。"

2012年，"双十一"已经是一个全民动员的节日：当天的销售额191亿元，震惊了所有的零售行业。这个节日已经从一个线上的活动，变成了一个整体的消费者节日。它由一个电子商务的节日转化成一个属于消费者的节日。在这一天，阿里巴巴尝试了一些新的消费者互动和消费模式，推出了天猫预售。

马云称："'双十一'已经不是天猫和其他电子商务企业之间的价格大战了，而是电子商务的一次狂欢，是商家应该给予用户的回馈，是电子商务这种全新的商业模式对传统商业生态的一次革命性颠覆。"

2013年，阿里巴巴"双十一"全天的支付宝交易额为362亿元（招股书数字），这个交易额是2012年美国"网购星期一"121亿元交易额的近三倍。2013年，我国日均的社会消费品零售额为693亿元，阿里巴巴的362亿元超过该数字的50%。2013年的"双十一"跟往年最大的区别是用户的沟通方式。移动互联网在这中间扮演了很重要的角色。

阿里巴巴集团首席执行官陆兆禧在2013年的"双十一"之后表示："'双十一'，我们只是一个参与者。我们唯一可以用来骄傲的是我们开创了'双十一'，让消费者和商家一起玩儿起来。所有的表扬，都属于商家、消费者、快递员等参与者；我们以此来感恩这个时代，感恩这个社会！362亿对于传统行业来说可能是个大数字，但是对于电子商务来说，才是个开始。数字背后的思考更有价值。那就是在现在的消费形势下，为消费者和商家创造一个年度相互回馈的契机。厂家拿出最好的商品，用最优惠的价格去感谢消费者，消费者用最饱满的热情和消费行为，来给商家们信心和希望。在消费者和商家之间，发现、创造、拉动和完成需求。"

市场需求决定了节日的狂欢指数

2009年，天猫商城"双十一"销售额为0.5亿元。

2010年，提高到9.36亿元。

2011年，天猫"双十一"的销售额已跃升到33.6亿元。

2012年，"双十一"当日支付宝交易额实现飞速增长，达到191亿元，其中包括天猫商城132亿元，淘宝59亿元，订单数达到1.058亿笔。

2013年，最新数据显示：淘宝"双十一"交易额突破1亿只用了55秒，达到10亿用了6分7秒，50亿用了38分钟，凌晨5点49分，阿里巴巴当日交易额突破100亿，13点39分达200亿元，17点31分突破250亿，11月11日总交易额362亿。

2013年10月31日，国务院总理李克强在中南海主持召开了他就任总理以来由专家学者和企业家代表参加的第三次经济形势座谈会。李克强总理对马云说，你创造了一个消费时点。这个消费时点的创造从我们的角度来说是扩大内需，而从一个企业的角度来说，是找准了用户的需求，并且用各种手段把这一天变成了购物的狂欢。

2013年"光棍节"，阿里巴巴邀请了许多企业家和媒体人见证当天的盛况，我也有幸被邀，我能亲眼看到362亿在大屏幕上跳出的时刻。这一天的下午，上百位受阿里巴巴之邀来到这里见证这一时刻的企业家，与马云和集团总参谋长曾鸣充分沟通；晚饭后，张勇带领大家参观西溪园办公区；技术负责人跟大家讲解，为了保障海量交易在某一时刻的峰值所采取的措施。接下来我们坐在一个大屏幕前观看实进交易的数字，现场也有商家代表分享，中间有视频的实时连线，会实时看到物流配送的情况。

我记得那天与一位市长连线，这位市长用了"皮之不存，毛将焉附"的比喻来形容实体经济与淘宝天猫的关系。我当时正好坐在马云后面，我说，你看他把你们当成了皮。**马云笑了一下，他说，如果一个企业不以用户消费需求的前端来改造后面的生产和制造，以及整个供应链环节的话，这样的企业是会被时代抛弃的。**他说海尔做得不错，当时我看了一眼屏幕，海尔的销售额好像是第一。

当电子屏上的销售额超过300亿时，偌大的西溪园区灯光全部亮起，园区内一片欢呼。马云此时走向窗户，在一阵阵的欢呼声中，我看到，此时马云神情是满意的，一点点笑意挂在脸上。他缓慢地走向窗台，有一点儿闲庭信步的感觉，然后掏出了手机拍下了园区欢乐的场景。我正好站在他的侧面，我在想这个时刻他脑子里在想什么呢？因为当时窗边的人很多，找他合影的更多，我的问题当然无法在这个时候提出。

当天晚上11点多钟，交易还在进行中，他与李连杰接着去看菜鸟物流的同事们。我们看到阿里巴巴员工们多半面色发青、发黄，马云跟员工们合影，一路讲大家辛苦了。他的朋友李连杰那天几乎和每一个想跟他照相的员工一一合影，并给加班加点的员工加油打气。我站在远处看着他们，感叹李连杰对朋友的厚道，他当天晚上为员工加油的状态好像阿里巴巴是他的一样。

阿里巴巴的员工为这一天的到来准备了很长时间，临近"双十一"更是有许多人没有时间睡觉。阿里巴巴的同事对我说，窗户里欢呼的人中有许多是三天三夜没有睡觉的员工，在阿里巴巴的办公区有一排排的各种小吃和方便面，还有一些为加班人员准备的一排排的被子，十分壮观。

在晚上12点前，我们来到马云家中喝茶，等待那个最激动人心的时刻，12点也就是"光棍节"结束的一刻。马云的夫人、爱佑华夏的王兵、参谋长曾鸣等几位阿里巴巴的核心人员，不知谁说我们打赌看看到底会是多少亿，反正都在350亿上下。当时马云背对火炉嗑着瓜子，若有若无地想着事情。一个与几万人的团队一起创造了一天销售额过350亿的人，若忽略他此时想事的状态，他仿佛就是一个顽皮的少年。

销售额超过362亿后，到底是多少并没有那么重要，重要的是海量的销售额在一天内完成。其实这预示着一个新时代的到来，这也是马云当天下午一直在讲的C2B，从消费者的前端和需求出发，颠覆传统制造业的时代已经开始。C变得空前重要，与C有关的数据就变得至关重要。

顺势造节

我们已经看到阿里巴巴和马云之前的造词（"网商"）和造势（"西湖论剑"）。到2009年时，阿里巴巴更进了一步：造节。

从2009年起，淘宝和天猫开始做一年一度的"双十一"。已经做过的5年之中，尤以2012年"双十一"单日销售额191亿最为震撼。阿里巴巴集团COO张勇在接受采访时说过，这个数字"震惊了所有零售行业"。这种说法应不为过。

马云对"双十一"的定位是："中国需要消费者日，3·15是消费者维权日，阿里巴巴人希望'11.11'成为真正的消费者日，商家感恩回馈消费者。"

2009年张勇还是淘宝商城的总裁。他自称，最初策划"双十一"这个节日时的想法很简单，就是想做一个网上购物节。当时淘宝系电商是中国最大的电子商务平台，尚且没有真正有影响力的其他电子商务平台出现。我们也可以理解成，此时的"双十一"更像是一个公司的促销活动。但是3年之后，"双十一"不但让淘宝系电商产生了震撼零售业的单日191亿的销售额，更是变成了整个零售业的节日。

张勇自己的说法是："到2012年，几乎所有商业形态都全民总动员了。我和我的同事们看到了，在某些城市的晚报上面，出现了一些线下的百货商场购物中心'双十一'搞活动。换句话说，'双十一'已经从一个线上的消费者的活动，开始变成了一个整体的消费者的节日，它不再是属于电子商务的一个节日，它是一个属于消费者的节日。"

阿里巴巴造节"双十一"，为何能够成功？而其他很多相似的举动，包括其他一些电商公司的造节努力，为何就没有产生效果？

首先是日期选得好，让人印象深刻。马云被人称为"外星人"不是没有道理。阿里巴巴习惯于不按常理出牌，比如武侠文化，比如为公司取的名字，从阿里巴巴到淘宝，再到天猫、菜鸟，再比如选择一个被网友称为"光棍节"的日子造节。张勇说，重要的不是"光棍节"，是"11.11"好记。岂止好记，简直是深入人心。

其次是天猫和淘宝的"双十一"，还真不是一般商家的节日促销。天猫和淘宝都是电子商务平台，平台上真正卖货的都是各个商家。自营电商打折，是压低自己的利润，再把这种利润挤压通过供应链传递给供货商。而平台做促销，商家自己定价，一是可以量力而行，二是大规模的销售最终获利的也是入驻商家。因此商家有动力主动参与"造节"。这种主动性当然也会传递到线下。要知道天猫的入驻商家，有相当一部分也都在线下拥有渠道。线下商家配合线上渠道在"双十一"做促销，最后其他零售商乃至电商也参与到越来越流行的"双十一"中，因为这是多赢，每一方都可以从中获利。

最后一个原因还是借势。无论阿里巴巴的市场与公关团队在造节的过程中付出了多少努力，从2009年的5200万到2013年的超过362亿，其背后都是更多的用户在通过互联网与移动互联网在完成消费行为的趋势。用户在向线上迁移，大势如此。

除了高额的销售数字产生的震撼效果，"双十一"也是一个展示公司的机会。每一年，都有上百家中外媒体聚集到杭州，而每一年的"双十一"，阿里巴巴都能找到新的可以展示给媒体的故事：团队、物流、技术、移动互联网……

阿里巴巴新的挑战是，让"双十一"继续制造出高潮。而想做到这一点，仅仅依靠不断攀升的销售数字已经不够了。

节点20

2010年，支付宝内资化、VIE事件、拆支付宝

当董事会、大股东不同意时，我作为CEO必须考虑国家法律、用户和阿里巴巴的2.2万名员工。尽管这个决定不完美，甚至可以说是一个艰难的决定，但它是正确的。

创业者面临的暴风雨

2009年，当时的阿里巴巴主要股东有三个：马云为首的创业团队、软银和雅虎，这也意味着支付宝受三家股东共同控制。马云和他的团队是中资，软银注册地、上市地是日本，雅虎是美国公司。当马云和支付宝团队拿到央行通知"第三方支付企业备案"时，马云意识到有外资背景的第三方支付企业可能会遇到阻力。支付宝虽然在中国第三方支付领域有着举足轻重的作用，但复杂的持股比例让它可能会遇到大麻烦。仔细研究过央行的文件后，马云和他的团队在2009年成立了一家中资全额控股的企业，并将支付宝70%的股权转移到这家公司。

2010年6月，央行发布02号指令《非金融机构支付服务管理办法》，明确规定第三方支付企业必须为全资中方企业，第三方支付企业不能有任何外资成分。02号指令规定和当时的情况，只有完全中方企业才能拿到第三方支付牌照，而有外资成分的第三方支付企业的地位和管理条款则没有规定。事实上，至本书截稿，该规定仍然没有出台。虽然指令保留"外资参与支付企业另行规定"的内容，但马云和他的团队判断"另行规定"的发布可能遥遥无期。甚至在金融形势稳定的情况下，很有可能根本等不到新的规定。如果是这样，支付宝将面对没有执照的窘境。

在这种情况下，2010年6月2日，指令发布一周后，支付宝团队就将剩余的30%股权全部转移到这家中资企业中。而这家中资企业的法人是马云，所以从"理论上"来说，支付宝的全部资产都转移到了马云的个人名下。

2010年前，支付宝是一家赔钱企业。当年阿里巴巴董事会有四人：杨致远、孙正义、蔡崇信和马云，坚定支持支付宝的只有马云。就这样，虽然早在2005年，央行发布《非金融机构支付服务管理办法征求意见稿》，这个征求意见和后来的正式文件的内容一致，5年后的2010年发布了正式稿，马云在此期间不断向董事会提出支付宝可能面临的政策和经营风险，却没有引起足够的重视。

2010年后，随着支付宝获得全新第三方支付牌照，业务范围不断扩大，有极强的赢利能力。但支付宝经营的成功，却给马云带来了麻烦，越来越多的人质疑马云为了获得第三方支付牌照，将支付宝的全部股权转移到自己名下。

很多人质疑马云当年没有通知董事会，更没获得董事会的批准。甚至说2010年的形势根本没有那么危急，马云根本没必要那么做。在2009年7月24日的一份会议纪要中明确记录：授权管理层采取措施获取支付牌照。而对于没有董事会决定的质疑，马云的回答是："5年来我们都是董事会纪要。成立淘宝也是我跟孙正义的君子协定。成立支付宝、阿里云计算，都是纪要。""做出（控制权转让）协议的事雅虎董事和软银董事都知道。不是不知道，而是没有达成协议。在没有达成协议情况下，第二天就递交

（支付牌照申请）报告了，我能怎么办？"

直到今天，对这件事的质疑还没结束。如马云所说："当董事会、大股东不同意时，我作为CEO必须考虑国家法律、用户和阿里巴巴的2.2万名员工。尽管这个决定不完美，甚至可以说是一个艰难的决定，但它是正确的。"

在水中游泳的人都是很艰难的

2011年5月，华尔街那个以犀利著称的女记者，向参加全球数字大会的马云提了个这样的问题："听说你把支付宝装进了自己的口袋，像小偷一样？"马云可能早就料到会有人问这个问题，笑着回答说："如果这样做了，你认为我还敢来这里吗？"这个视频的火爆和支付宝VIE事件混在一起，成为互联网业界和媒体最热的话题，那段时间围剿马云的文章和话题铺天盖地，大有黑云压城的气势。

今天此事已过去好几年，是黑是白时间已给出了公论。今天我所关注的，是一个创业者所要面临的各种暴风雨。所谓暴风雨就是要处理各种复杂的关系。

第一，与中国监管部门的关系。阿里巴巴的许多业务都是超前于大众和监管机构的认知的，这就导致业务在进行，而监管滞后，这样的状态就让企业与国家监管部门的关系变得非常复杂，因为没有一个清晰的要求明摆在那里，国家的相关规定在时间演进的过程中展开。其实未来阿里巴巴还会有一些业务会面临这样的情景。

我们看到自2005年以来这件事被提上了议程，但央行的明确规定5年后才实施。这样的状态会让股东误认为，这是一个没有那么急的事情，所以不必马上做决定，而且也许还会心存侥幸，认为说不定还可以拖更长时间。现有的资料显示，阿里巴巴的股东大会在2009年就有相关讨论和纪要。所以，作为一个超前性业务的创始人，处理与监管者的关系，不仅是马云的难题，也是今天众多互联网公司创始人的难题。互联网正在将每一个产业进行改造和颠覆，而它们的进入都给相关监管带来了困难，监管人员首先要认知互联网、移动互联网本身就需要时间，也有难度，再加上与产业的结合就更复杂。有意思的是，互联网的创业者绝大多数依靠的是市场和用户，他们根本不擅长与政府公务员打交道，其交流的语境也相差甚远，思维方式也各异。所以，与监管部门打交道将是互联网创业者的一个难题。

第二，与投资人的关系。马云的两位主要股东一个是美国人，一个是日本人，这两位占阿里巴巴的股份接近70%，与他们的沟通就变成十分重要的任务。马云不止一次地说过，孙正义是他的灵魂伴侣，这说明他们对互联网、电子商务前景的认识高度一致，而且在智慧和才能上相互欣赏。这在投资者与创始人中实属不易，所以交流起来应该是高效的。但是在涉及公司股东的重大利益上，交流起来也没有想象的那么顺畅。无论如何，在外人看来，此次VIE事件，孙正义还是十分有智慧、识大体的，他在韩国机场的简短发言也极其有利于事情的正向推进。

与雅虎的关系相对于孙正义要棘手一些，其间还出现过隔空喊话的情景，再加上雅虎一度面临被微软收购的境地，其与投资人的关系处理要复杂许多。但此次VIE事件的处理仍然比想象的要顺利很多，其间的艰辛恐怕只有当事人自己知道。

每次在阿里巴巴与雅虎之间有新闻出现时，我脑子里总是回想起2006年1月，马云在瑞士达沃斯那个小酒店里跟我讲起雅虎入资10亿美元的情景。讲的时候，得到10亿美元毫无疑问对阿里巴巴是一个极好的事情，但是，后面发生的事情我总觉得有"三十年河东，三十年河西"的感觉。有些事情在某个历史时期看是对的，但随着时间的推移，它的利弊对比会超出预期。但是，谁都只能活在历史的当下，而不可能活在未来。对于创业者来说，所要做的就是出现什么问题解决什么问题，而往往许多时候创业者面临的选择并不多。所以只能把问题放在过程中解决，而不可能一劳永逸地解决。而且，解决一个问题时常常会出现另外一个问题。

第三，和媒体人的关系。在我认识的许多企业家中，柳传志和马云是深受媒体人喜爱的类型，因为他们能深入浅出，能清晰地、有色彩地表述那些枯燥的商业问题。在此次VIE事件中，媒体记者的推波助澜也让本次事件升级。我没有问过马云，但是我想本次事件之后，他对媒体的看法应该有一个大的转变。

在中国有许多企业家怕媒体，当然怕的原因各种各样。但马云肯定是不怕的，一是他的个性天生就为媒体而生，二是他基本没有怕见光的东西。他从创业一开始似乎就绑定了媒体。即便在阿里巴巴成立的第二年，还不知道如何赚钱时，他就上了《福布斯》的封面；20世纪90年代后期，他就上了《东方时空》，让《生活空间》的记者跟随他拍摄；此次的VIE事件，是他创业以来最大规模地被媒体议论甚至批评的一次。

一个创业者有几个关系要非常谨慎地处理：第一，是与政府的关系，也就是与监管部门的关系；第二是与投资人的关系；第三是与用户的关系；第四是与团队和员工的关系；第五是与媒体的关系。当然，除了真诚之外，处理这些关系所用的智慧和方法都是不同的，都需要倍加小心，有耐心。因为这些关系哪一个处理不好，都会直接影响企业的发展，有时可能致命。

除了这些关系要处理，创业者最最要紧的事是找企业发展方向、找人、培养人、打造企业文化。做到这些已经很不容易，再加上上述五重关系的处理，会耗费创业者很多的心血。所以说创业者不容易，成功的创业者就更不容易。

在企业上市时，投资人和团队成员可以中途退出，而创业者却一直要坚守。

在本书的写作中，我充满着对马云这样一位了不起的创业者的尊敬，那是因为我创业4年多，部分地知道了创业的艰辛。这个艰辛程度超出了任何单一专业工种对人的要求。这种尊敬让我这样一个有着15年媒体从业经验的人，不愿意站在一个中立者的角度，以市场经济契约社会的种种道德，对VIE事件做一个义正词严的评价。一是我们可能并没有接近真正的事实，二是我们对企业家的要求也许太高。其实企业家不是道德楷模，在企业应对无数的变局时，也无法做一个所谓的道德楷模，因为他身上的责任是让企业生存下去，发展下去。

这种情形让我想起2000年，我毫不犹豫地离开中央电视台新闻中心，要去经济频道。在新闻中心做了五年多调查记者，我们曾经义正词严地批评过各级政府和许多违法乱纪的人。这些批评当然也没有错，但自己长期拿着一把公正的尺子，置身于泥沙俱下、法制和市场经济刚刚起步的历史环境。我们认真面对每一个被指责、被批评的对象，会发现事情远比我们想象的更加复杂，在这种复杂的情况下，我们的批评变得很皮毛，无足轻重。我总在想，如果我是被采访对象，我会比他们做得更好吗？其实这样的问题很难回答。于是，我变得不那么喜欢去做那样的事情了，我更喜欢做一些建设性的、优秀管理经验引进性的事情。这就是我离开《新闻调查》，去《对话》展现跨国公司500强CEO的思想和交流方式的原因。在一个百废待兴的国家，我更喜欢建设性的工作。

所以，站在岸边说话都是容易的，在水中游泳的人都是艰难的。

无法遏制的负面舆论

支付宝股权转移事件，是媒体上人们对阿里巴巴负面情绪大爆发的一个标志性的事件。

此前的大多数时间，虽然一直也有关于马云和阿里巴巴的各种负面舆论，但总体而言，公众对马云和他创办的阿里巴巴还是持友善态度的。对阿里巴巴一直倡导的新商业文明价值观，媒体和公众都持赞赏态度。马云的各种言论，也都鼓舞人心。无数创业者视他为偶像和榜样。但在支付宝股权转移事件前后，大众情绪突然出现了反弹。

媒体在支付宝股权转移事件上对马云的批评主要集中在以下几点：

第一，违背"契约精神"。作为支付宝的管理者，马云在没有征得董事会同意的情况下（甚至在没有告知董事会的情况下，视每一个批评者了解的事实而定），擅自将支付宝的股权转移到以马云为实际控制人的内资公司名下。这个指责，以胡舒立在《新世纪》周刊上发表的社评为代表。马云被指责为背信弃义之徒，与他一贯倡导的诚信和新商业文明价值观违背。

第二，引发了海外投资者对以VIE协议为架构的中国公司的质疑浪潮。其逻辑是：如果以VIE架构控制的支付宝可以被管理层轻易地转移到另一家公司中，而几乎所有海外上市的中国互联网公司，都是采取VIE架构控制的，那么，在这种情况下，海外投资人投资中国科技公司是否还安全？一些风险投资人持这种观点。在这种质疑下，马云的举动被视为给整个中国互联网行业都带来了巨大威胁。

第三，以"爱国"和"国家安全"为名谋取私人之利。在史玉柱通过微博发表了"爱国流氓"的言论之后，这个指责更加严重了。史玉柱的微博原文是："恭喜支付宝回归中国。阿里巴巴集团年流水达2万亿元后，集团控股权如果仍在美国人和日本人手里，就涉及中国国家安全问题了。现在就该逼美国雅虎和日本软银向中国政府和企业卖部分股权，如果不卖，就该流氓点，所有新增业务不再放入雅虎和软银控股的集团公司，建议马云做个'爱国流氓'。

"2万亿元占中国国民经济比重小吗？服务器歇菜会影响多少中小企业和个人？美国和日本人卖掉阿里巴巴集团部分股权，股份比例降到50%以下，赚几十亿美元后，剩下股份全是净赚的，他们赚的少吗？美国人、日本人赖着控股权，中国政府能安心吗？"

相比之下，马云的辩解之声被淹没在一片批评声音中。

我很难解释为何从2011年开始，一贯备受舆论赞誉的马云和阿里巴巴开始面对各种批评与指责；而此前一直被批评的腾讯公司却成功地扭转了舆论。但是以下几个方面的原因可能会帮助我们理解这一浪潮的逆转：

一、公众心理。冯仑曾经开玩笑说，大众的心理就是：首先把你捧上神坛，挂在墙上；然后又希望能够把你的画像从墙上扔到地上，踩上两脚。马云和阿里巴巴享受了多年公众舆论的溺爱，他已经被"走上神坛"；而"走上神坛"的人，是不能犯"错误"的；当支付宝股权转移事件被视为"错误"时，大部分人并无心去探究其中的细节和真相，只是去表达简单的愤慨。

二、利益因素。在过去，马云和阿里巴巴一直能够将公司的利益同整个社会的利益维持一致，或者能够和"趋势"一致，无论是创造就业、帮助中小企业，还是鼓励创业者。但这一次，他显然触动了一些群体的利益。最直接的是，投资界的人会不高兴。他们也的确会担心支付宝股权转移事件会开启一个不好的先例。与此同时，一个恶性现象是，中国一些互联网公司的竞争也表现在舆论操纵上——不止一位互联网企业家抱怨过这一点。

三、时间窗口。支付宝股权转移事件和浑水等使海外做空者质疑一些中国公司财报作假，从而引发海外中概股集体下跌同期发生。对中国公司的"诚信"指责，和对马云与阿里巴巴的"诚信"指责混杂在了一起。公众并不能分辨清楚，支付宝事件加重甚至导致了中概股下跌，还是一些海外上市公司的造假，持续造成中概股的下跌。

四、阿里巴巴的心态变化。"雅巴联姻"、击败eBay、B2B香港上市等此前一系列的成就，已经让阿里巴巴习惯了被赞美和被宠爱。这家公司已经成为中国最大的互联网公司之一。不可避免的，这样一家公司的心态和早年湖畔花园别墅创业、迎击eBay中国时的心态会有所变化。他们在同外界沟通上，有时会有一些缓慢，或者认为没有必要。他们并没有意识到，以阿里巴巴今天在中国互联网的地位，一举一动都会受到媒体极大关注。

就支付宝事件而言，我们可以看到，股权的变更在2010年8月最终完成，2011年5月11日雅虎向美国证券交易委员会提交了一季度财报，其中披露了信息，媒体因此知晓此事，此后社交网络和媒体上就开始出现质疑。而阿里巴巴解释此事，是在一个月之后，2011年6月14日，马云匆匆从美国飞回杭州召开媒体见面会。

节点21

2010年，合伙人制度激活102年价值文化

我们的目标、使命和价值观，是鼓励我们走下去的动力。我建议大家，从明天开始，把我们的80年（目标）改为102年，（使公司）成为中国最伟大、最独特、横跨三个世纪的公司。如果（公司）能活102年，就是我们最大的成功。阿里巴巴最大的成功不是我们有了诚信通、中国供应商，而是创造了伟大的公司。102年我肯定看不到，但到了那时，我们的孩子、孩子的孩子可以到这里来，让他们今生无悔。

对未来的希望和信心

2010年，阿里巴巴集团的18位创始人辞去"创始人"身份，集团内部开始试运行"合伙人制度"，每一年选拔新合伙人加入。阿里巴巴希望采取的"合伙人"方案，和中国内地、香港，或开曼群岛的合伙企业法中的合伙制完全不是一个概念，而是在章程中设置提名董事人选的特殊条款：由一批被称作"合伙人"的人提名董事会中的大多数董事人选，而不是按照持有股份的比例分配董事提名权。另外，阿里巴巴方案中的"合伙人"并不像合伙企业中的合伙人，需要对企业的债务承担连带责任，而是指合伙人必须"在阿里巴巴工作5年以上，具备优秀的领导能力，高度认同公司文化，并且对公司的发展有积极性贡献，愿意为公司文化和使命传承竭尽全力"。马云认为，合伙人作为公司的运营者、业务的建设者、文化的传承者，同时又是股东，最有可能坚持公司的使命和长期利益，为客户、员工和股东创造长期价值。

马云的合伙人制度来源于两处。一处是两家非互联网公司，一家是投行高盛、一家是咨询公司麦肯锡，他们均采取合伙人治理模式。另外一个启发是古罗马帝国"元老院"的治理模式。古罗马元老院是一个审议的团体，是公众事务的引导者、辩护者和捍卫者，类似于一个公司的价值观、文化。元老院起初包括100位家族首领，称为父老，后来增至300名。至2013年，阿里巴巴共选用了27位合伙人。在2013年9月10日，马云表示："这个机制将传承我们的使命、愿景和价值观，确保阿里巴巴创新不断，组织更加完善，在未来的市场中更加灵活，更有竞争力。这个机制能让我们更有能力和信心去创建我们理想中的未来。同时，我们也希望阿里巴巴合伙人制度能在公开透明的基础上，弥补目前资本市场短期逐利趋势对企业长远发展的干扰，给所有股东更好的长期回报。"

马云一直有一个伟大的理想，要创造一个中国人自己的、最伟大的公司。2009年，在阿里巴巴10周年的庆典上，马云提出阿里巴巴要做102年的企业。原先马云提出的口号是做80年的企业，马云曾表示当时"80"是定出来的，是他们拍脑袋说出来的。1999年互联网的情况是很多人公司上市8个月就跑掉。全中国人民都在讲互联网可以上市圈钱然后大家就跑。所以，在那个时候马云提出要做80年的企业。

在庆典大会上，他真挚地说道："我们的目标、使命和价值观，是鼓励我们走下去的动力。我建议大家，从明天开始，把我们的80年（目标）改为102年，（使公司）成为中国最伟大、最独特、横跨三个世纪的公司。如果（公司）能活102年，就是我们最大的成功。阿里巴巴最大的成功不是我们有了诚信通、中国供应商，而是创造了伟大的公司。102年我肯定看不到，但到了那时，我们的孩子、孩子的孩子可以到这里来，让他们今生无悔。"

马云认为：大学是可以走100多年的，所以阿里巴巴一定要培养企业的大学；企业的文化可以走102年，企业文化是企业发展的DNA；投资可以做102年，就像洛克菲勒集团，今天虽然没有了，但是钱和理念却一直延续着。所以，对于公司要确定102年的思考和建设，这是马云对未来的希望和信心。

阿里巴巴合伙人制度

在马云为阿里巴巴提出的诸多历史使命中，让公司存活102年，成为横跨三个世纪的公司这一目标可能最难实现。既然提出了，用什么方式保证这一目标实现，就成为马云需要思考的问题。一个用制度做保障的方式，无疑是最可靠、最根本的解决问题的方式。于是，阿里巴巴合伙人制度应运而生。

这个合伙人制度解决了企业发展中两个维度的问题。第一是董事会成员的任命。一般来说，董事会成员的任命与股份直接相关，股份多的人多半在董事会上任董事。但由于阿里团队的股份经过多次稀释最后占有的股份较少，很难在董事会中有决策权，为了打开这个死结，马云采取了由阿里合伙人提名多数董事的方法，确认董事会成员与阿里管理团队的经营理念和文化价值观一致。为了做到这一点，马云不惜把上市地点从香港改到纽约，不惜推迟上市时间，其决心之大可见一斑。

合伙人制度解决的第二个维度的问题是如何让更多的阿里年轻人，秉承阿里文化价值观的年轻人、有经营贡献的年轻人脱颖而出。这样就给阿里注入了新鲜活力和生命力。而且合伙人的数量不是一人两人的接班制，而是群体性接班。其安全系数就大了许多，这样就保证了公司的持久性发展。

在制度层面上，为了让公司存活102年，阿里巴巴做了很大的努力。但以此保障102年的企业寿命，这仍然是困难的。群体性接班有群体性的问题，一旦一群优秀的人中没有一个最有凝聚力的人、有领袖气质如马云的人，就很容易陷入群龙无首、各自为战的状态。在中国这个人治历史悠久的国家，制度性解决是否可以代替人治，仍然需要时间检验。这个难题其实是亚洲企业所共同面临的问题。当李嘉诚在80多岁的高龄仍然为企业做重大决策时，我们要更加小心谨慎地对待企业寿命和接班人的问题。时间会给出答案。

隔空论辩

阿里巴巴的合伙人制度，按照马云在内部邮件中所说的，从2010年起在内部运行。但真正引起媒体热议的，是在阿里巴巴集团就合伙人制度同香港证券交易产生分歧时。

开始时是媒体和市场上关于阿里巴巴就合伙人制度同港交所谈判的猜想。显然无论是港交所还是阿里巴巴，都承受着巨大的压力。港交所受到的舆论压力是，它会被指因为固守成规和缺乏创新精神，错失阿里巴巴的IPO，这一IPO可能是近年来规模最大的互联网公司的IPO。阿里巴巴受到的舆论压力则是，阿里巴巴的合伙人制度授予了合伙人过大的权力，因而可能导致股东的权利缺乏保障。在这种压力之下，包括港交所总裁李小加、阿里巴巴董事局副主席蔡崇信和阿里巴巴董事局主席马云都先后发声，就合伙人制度隔空辩论。

2013年9月10日，马云借用内部邮件解释阿里巴巴的合伙人制度，并且说："我们不一定会关心谁去控制这家公司，但我们关心控制这家公司的人，必须是坚守和传承阿里巴巴使命和文化的合伙人。我们不在乎在哪里上市，但我们在乎我们上市的地方，必须支持这种开放、创新、承担责任和推崇长期发展的文化。"

两周之后，9月25日，港交所总裁李小加发表长篇博文称："要客观看待事情，不被负面情绪牵动，不受指摘影响，也不被个别公司或个案的具体情形而影响判断。归根结底，我们需要做出最适合香港、最有利于香港的决定，而不是最安全最容易的决定。我只是希望大家能在这一涉及公众利益的重要议题上进行诚恳、公开、平衡客观及尊重各方的讨论。"

第二天，蔡崇信发表了署名文章，文章继续解释阿里巴巴为何采用合伙人制度，同时也有向港交所施加压力的成分。在文章结尾，蔡崇信说：

"我们没有期望香港监管机构为了阿里巴巴一家公司做出改变，但我们确信香港应该认真探讨适合未来发展趋势的创新监管环境。今天，作为香港人，我想问的是：香港资本市场的监管，是被急速变化的世界抛在身后，还是应该为香港资本市场的未来做出改变，迅速创新？！古人云：沉舟侧畔千帆过……"

他们都是通过网络来发表自己的言论，而不是接受记者访问。但他们都想通过自己在网络上发表的文章来影响公众舆论。

然后，他们都做到了。**阿里巴巴和港交所的隔空论战其实是个上佳的舆论战案例。一个备受瞩目的IPO，双方都在借助舆论向对方施加压力，同时解释自己的行为依据，未曾对媒体开言，但双方的文字又构成了媒体关于双方所思所想的全部信息来源。马云、蔡崇信和李小加的文章都传播甚广。**

不知道这是否会成为对外传播信息的先例，即重要的信息不再通过发布会或接受媒体访问来发布，而是通过一封措辞精妙的博文或公开信。

只是从结果而言，双方又都没解开那个结。如果说阿里巴巴首选上市地点为香港，香港证交所也希望拿下阿里巴巴IPO，那么，他们各自的目的都没达到。

节点22
2011年2月，诚信反腐

我们从来不会因为利益而改变自己，也不会因为压力而放弃自己的原则。我们将会面临任何挑战，宁可关掉自己的公司，也不放弃自己的原则。

触及底线

2011年2月，阿里巴巴2326家"中国供应商"涉嫌欺诈，严重败坏了阿里巴巴的声誉。这件事情触及了马云的底线，马云认为想做一个优秀的生意人、一个优秀的商人、一个优秀的企业家，就必须有一种同样的东西，那就是诚信。诚信是基石，最基础的东西往往是最难做的。但是谁做好了这个，谁就可以走得很长、很远。

作为全球买卖双方的B2B商务平台，阿里巴巴实行的是会员制，每年绝大部分的收入来自会员年费。

阿里巴巴的会员分为三种模式："中国供应商"是指为国内的中小企业拓展海外的市场服务；"中国诚信通"为国内中小企业拓展国内的市场服务；"国际金牌供应商"是为国外供应商提供的服务。2011年爆出的问题全部来自"中国供应商"。

2008年11月，阿里巴巴在"中国供应商"的体系下推出名为"出口通"的产品，产品刚推出来的价格为1.98万元。相对于"中国供应商"5万元的会员费，这款价格算是相对较低的了，但是相对"中国诚信通"不足3000元的会员费，"出口通"的价格还是较高的。但是这款业务的提成相当高，提成额度是最高销售额的25%，相当于销售员一单能拿到4950元。当时阿里巴巴的销售员底薪是仅800～1000元，也就是说如果签不到单的话，销售员的生活境遇就会比较惨淡了。这样一来，就导致一些员工为了获取私利，在明知对方是骗子的情况下与其签约。最后就会出现客户通过阿里巴巴的平台购买商品付款后，商家就消失不见的状况。

一开始，在阿里巴巴的商人论坛上，会有一些受骗的客户爆料，但是由于许多受害者在海外，事发至少两年的欺诈事件国内媒体并没有去集中报道。但是在国外至少有两个以上的网站汇集了超过600个受害者的投诉。这种欺诈案例一般都表现为：当客户急需一批产品的时候，他会在阿里巴巴需求供应商，当客户跟公司的负责人取得联系之后，公司会要求客户提供1万元的押金，而这笔押金支付后，客户会发现这家公司"消失"了，再也联系不上了。而这些公司中包括"中国供应商"。因为这些骗子公司都会拥有一个"中国供应商"的认证，所以买家愿意去相信进而付款。案件的发生，显然没有内部人员的联合，公司无法取得认证资格。随着受害者的呼声越来越高，马云开始意识到事情绝非那么简单。于是，在2011年1月开启一项独立调查。调查的结果令马云大感震惊。结果显示，那些诈骗的卖家花钱买到"中国供应商"的会员资格，用假的生意执照，骗过AV认证；然后用低价诱惑海外的买家下单、付款，这一切都被销售人员默许，甚至有些销售员还会协助骗子公司加入这个平台。

在诚信和利益之间，马云早就表过态："我们从来不会因为利益而改变自己，也不会因为压力而放弃自己的原则。我们将会面临任何挑战，宁可关掉自己的公司，也不放弃自己的原则。"

针对这次爆出的欺诈案件，阿里巴巴内部，CEO卫哲及COO李旭晖辞职；100多位涉嫌欺诈的主管和销售人员被辞退；主动监控和清退存在的欺诈行为，及经过阿里巴巴多方面的数据分析后证实有欺诈倾向的付费会员。在经济上，阿里巴巴拿出170万美元来赔付。早在2009年下半年，阿里巴巴就建立了"Fair Play Fund"（公平交易基金），用以解决"出口通"与海外买家之间的欺诈纠纷，这次被清退的欺诈卖家的会员费余额都放入这个基金，然后根据交易金额给予买家一定比例的赔付。同时，阿里巴巴选择和国际认证机构"天祥集团"合作，为了给其中国供应商做最大限度的认证，推出基于第三方的深度认证服务，确保认证的可靠性。除此之外，阿里巴巴还提高了其非会员费收入在总收入中的占比。这其中重要的一部分来自增值服务的增长，比如"网销宝""精准营销""询盘管理"等。

这次阿里巴巴诚信问题爆发的时间点刚好距"国际消费者权益日3·15"不远，因此，当时这个话题就一时成了热点。从媒体反映和公众舆论来看，阿里巴巴的这次"铁腕"行动态度不错，"挽救"措施效果良好。

马云最看重诚信，在接受采访时，他曾对企业家的诚信做出过阐释："中国加入WTO最大的挑战就是诚信，企业做生意首先要建立的就是诚信，诚信是最大的财富。这是今天的企业，特别是中国企业要面临的问题。

"阿里巴巴中文站的'诚信通'现在成了火爆品牌，我们昨天和一个学者谈论'诚信'的问题。他说，在现实层面可能很难解决诚信这个问题，在网上反而容易解决了。诚信通其实很简单，以后谁要和你做生意，先看你在网上的诚信通活档案，你获奖了可以放上去，法院对你们判决了也可以查到。我希望全中国每个企业都有一份网上的活档案——这是信誉的档案！

"今天通用电气和我们有网上的合作，选择'诚信通'的商人作为其潜在供应商，沃尔玛也选择阿里巴巴做合作伙伴。我们不评论企业是否诚信，诚信是做出来的。一个企业在网上的诚信记录由它的客户来写，是不断新加入的客户来看你的诚信档案，让他来评定你是否具有诚信。

"所以只能是诚信通客户才能进行诚信的评论，每一次评论都是详细的记载，到目前为止，还没有竞争对手在记录中恶意中伤的事情发生。如果你的记录里有不好的记录，我们要张榜公布出来的。你做了坏事，我就让你活着比死了还难受。"

抢业务增长量与规范管理的平衡

在互联网公司中，阿里巴巴是最注重文化价值观的公司，马云擅长的也是管理。在阿里巴巴也有许多管理手段和员工行为准则，但为什么仍然会出现中高层管理者腐败的情况呢？从2006年到2012年，阿里巴巴由于业务飞速发展，员工从几千人增加到2万多。这样高的人员增速哪怕是一个管理大师也难有奇招。无论是公司的文化价值观还是管理制度，在这样一个员工膨胀的速度面前基本是无法招架的。文化价值观需要时间的浸染，管理制度也需要在实践中运行。2012年，马云下了一道指令，全集团只进200名，出多少没有限制，我想他充分认识到了，快速增加的人员对管理造成的压力。从创业者的角度看，阿里巴巴反腐这样一件事情到底带给我们哪些启示呢？

第一，当业务海量增加时，我们是控制性地发展业务，还是开足马力地增加人员，迎头赶上？所谓控制性，指的不是让业务量规定发展的速度和规模，而是以一个可控的、适度的，并且健康的方式发展。这个问题值得所有未来需要规模化的创业者思考。每个人的答案可能不同，但每一种选择都会出现许多相应的问题。

第二，运营一个有权力、有利益的平台时，其制度建设和管理方式的前置、人员培训的强度、内部杀一儆百的力度，都需要有一个预期的把握。阿里巴巴是一家领头羊公司，领先型公司都会付出比别人多得多的代价，因为没有案例可以借鉴，没有类似的企业可以学习。而阿里巴巴之后，类似的公司就有可学习的依据了。

第三，从阿里巴巴对高层清除的决心和结果来看，一个公司若涉及公司以外的客户的利益，其反腐的决心和措施一定要得力，否则公司的发展将会受到根本的威胁。

透明化处理内部问题："将伤口给别人看"

2011年初的阿里巴巴B2B欺诈案调查，是2011年马云所称"七伤拳"的第一拳。这一拳的结果，以CEO卫哲和COO李旭晖引咎辞职告终。马云雷厉风行地捍卫了阿里巴巴的价值观。

《中国企业家》杂志在卫哲离职之后专访马云，详细还原了"卫哲事件"的过程。从这次捍卫诚信和价值观的努力中，我们可以看到阿里巴巴努力奉行的对外风格。马云和卫哲两人开诚布公地谈论此事，内部邮件也公之于众。

卫哲说："我加入阿里巴巴4年多，已经是3年的阿里巴巴人，正在走向5年'阿里巴巴陈'！在这四五年里，我刻骨铭心地体会到，以客户第一为首要的阿里巴巴的价值观，是公司存在的立命之本！尽管我们是一家上市公司，但我们不能被业绩所绑架，放弃做正确的事！"

马云说："卫哲和李旭晖的辞职是公司的巨大损失，我非常难过和痛心。但我认为作为阿里巴巴人，他们敢于担当，愿意承担责任的行为非常值得钦佩。"

亦有负面评论。《中国企业家》杂志说，卫哲辞职后网易科技发起一项调查，结果参与调查的3000多个网友中，超过70%的人认为"卫哲辞职另有隐情"。杂志也列出了一些质疑："欺诈在阿里巴巴包括B2B、B2C平台上都长期存在，为什么现在才想起祭出价值观大旗，独让B2B的CEO辞职？马云或别有用心？从前几年开始，阿里巴巴就突然撤换过淘宝网CEO等高管，也突然让10多位创始人变身合伙人。这次，也是马云惯用的，在阿里巴巴内部整肃队伍，以强调其权威性的一步棋？"

但是马云的开放态度最终还是战胜了质疑的声音。令我印象深刻的是，2011年在青岛举行的绿公司年会上，马云主动谈起卫哲事件和阿里巴巴的价值观。而且，卫哲也在场。"阿里巴巴一直在倡导一种开放、公开、透明的中国企业绿色责任。所以，在这件事上，我也想跟大家开放、公开、透明地分享。"马云说。

一年之后，阿里巴巴再一次将自己的伤口展示给公众。这一次的重灾区是"聚划算"。阿里巴巴集团先是免去了"聚划算"总经理阎利珉的职务，辞退了3名员工，接着，阎利珉被杭州警方刑事拘留，并于2012年8月8日被判处有期徒刑7年。

马云和阿里巴巴的出手不可谓不重。

阿里巴巴集团人力资源部在公开信中说："本着扶正祛邪，最大限度保障市场公开透明的出发点，整个事件的处理过程我们都对外界保持了开放的态度，以期望对自身警醒，对业界警示借鉴。"

后来在我的一次访问中，马云说，今天的大互联网公司，谁敢说自己没有类似的问题，但是唯有阿里巴巴敢于将自己的伤口给别人看。

2014年，当当网一位销售总监私吞1500万元回扣，被判8年有期徒刑的新闻被爆出；百度游戏总经理廖俊被带走调查一案，或也可作为佐证。

尽管2011年的阿里巴巴B2B欺诈事件和2012年的聚划算反腐事件中，都有负面评论的声音出现，比如指责马云并没有为此事承担责任，而只是以价值观的名义将当事的高管和员工清理出局。但不可否认，阿里巴巴的确做到了它自己声称的"开放、公开和透明"。两次事件，全都是阿里巴巴主动对外公布。

我们无法想象，以阿里巴巴集团2011年之后所处的舆论环境，以及阿里巴巴集团的体量，如果内部腐败事件被动地爆出，马云和阿里巴巴又会面临怎样的公关危机。主动公开内部对欺诈和腐败的调查，帮助阿里巴巴避开了媒体上更多的口舌是非。

节点23

2011年6月，淘宝一拆三，三拆七，七拆二十五

我觉得我们中国也很奇怪，20世纪60年代尤其奇怪，动不动就想改变世界，动不动就想完善世界，动不动要上升得非常高才觉得伟大。我今年48岁，记住：改变别人，先改变自己；要完善世界，先完善自己；要帮助好别人，先帮助自己；如果你不能帮助好自己，那一切都是瞎扯。

组织结构大变革

2011年6月17日，阿里巴巴集团资深公关总监陶然，在其个人微博上发布淘宝一拆为三的消息，并得到了阿里巴巴官网的证实。从此，阿里巴巴开始了对自身结构进行重新整合的过程。

阿里巴巴集团的官方声明称，为了更加有效、精准地服务现有客户，淘宝将一拆为三个相互独立的公司。淘宝网将沿袭原淘宝C2C业务；新成立的平台型电子服务商淘宝商城，将专注于平台型B2C业务；而新诞生的一淘网，将把阿里巴巴系的业务开拓到一站式购物搜索引擎领域。这也是自淘宝业务成立以来最大规模的自我结构变更事件。数据显示，截至到2010年底，淘宝网拥有3.7亿注册用户，单日独立IP访问量高达6000万次。

调整后的阿里巴巴电商体系，力求以变革生成多股力量，全面重塑中国电子商务现有格局。独立后的三家电商公司将统一受阿里巴巴集团管理，并自由调配其资源，更进一步与阿里巴巴系其他子公司形成新型协作关系，共同将阿里巴巴的"大淘宝战略"提升为"大阿里巴巴战略"。而在2012年7月23日，阿里巴巴集团再次宣布其公司体系重新调整为淘宝网、一淘网、天猫商城、聚划算、阿里巴巴国际业务、阿里巴巴小企业业务和阿里云计算七大事业群体系。此次集团结构的变更也被外界称为阿里巴巴的"七剑出鞘"，七大事业部总裁直接向阿里巴巴集团CEO马云汇报。

在马云写给员工的邮件中，他表示：这次集团拆分为七大事业群的目的是在"今天和未来的严峻经济形势下，完善自我，全面提升集团对小企业和消费者的服务能力，帮助小企业渡过生存和成长难关，同时让更多的消费者受益于互联网时代的丰富生活。最终促成一个开放、协同、繁荣的电子商务生态系统"。

也就在"七剑出鞘"体系成立半年之后，阿里巴巴集团迎来了规模更大的公司架构变更计划。2013年1月10日，阿里巴巴集团在杭州宣布，为了应对未来复杂的商业系统生态变化趋势，为了迎接移动互联网时代带来的机会与挑战，集团对公司现有业务及组织结构进行了相应的调整，新成立25个事业部。随着新事业部体系的诞生，阿里巴巴集团战略决策与执行体系也做了相应的调整，新成立了战略决策委员会（由董事局负责）和战略管理执行委员会（由CEO负责）。

"变化是痛苦的，没有一次变化会顺利发生。"马云说，"我们必须变化，我们必须变化在变化之前。"作为企业的管理者，从一开始就要看到市场的先机，在危机来临之前，制定出策略。在马云看来："把大公司拆成小公司运营，我们给市场、给竞争者更多挑战我们的机会，同样也是给了我们自己更多的机会。"阿里巴巴想做的不是垄断帝国的形态，而是构建整个互联网商业良好的生态链。从2012年初的"修身养性"，到现在阿里巴巴系完成大范围的拆分重建，马云所设想的互联网商业生态体系已

经基本完成。

互联网是个变化很快的领域，如果不懂得适应时代，改变自己，就会落于人后。就像马云说的："我觉得我们中国也很奇怪，20世纪60年代尤其奇怪，动不动就想改变世界，动不动就想完善世界，动不动就要上升得非常高才觉得伟大。我今年48岁，记住：改变别人，先改变自己；要完善世界，先完善自己；要帮助好别人，先帮助自己；如果你不能帮助好自己，那一切都是瞎扯。"

（注：25个事业部：共享业务事业部、商家业务事业部、阿里妈妈事业部（展示广告、P4P、淘客联盟）、一淘及搜索事业部、天猫事业部、物流事业部（天网）、良无限事业部、航旅事业部、类目运营事业部、数字业务事业部、综合业务事业部、消费者门户事业部、互动业务事业部、无线事业部、旺旺与客户端事业部、音乐事业部、聚划算事业部、本地生活事业部、数据平台事业部、信息平台事业部、云OS事业部、阿里云事业部、B2B中国事业部（CBU）、B2B国际事业部、B2C国际事业部。）

业务快速变化需要新组织结构支撑

从2011年6月分拆淘宝，一拆三，到后来的三拆七，再到2013年1月的七拆二十五个事业部，中间只有一年半的时间。如此短的时间内组织结构调整的频繁和变化的幅度之大不可想象。主要原因当然是阿里巴巴业务发展的增速超快，原有的组织结构难以或者说不能最高效率地支撑新业务的发展，所以需要调整。我在这个调整中看到以下几个理由：

第一，给更多的年轻人成长和跃出的机会。每一次组织变革都是新老交替的最佳时间，是职场黑马展现才能的节点。

第二，让公司对不断增长的业务变化保持最大的灵活度和柔软度，以避免组织的僵化。事实上，在分拆成25个事业部后，很快就遇上ALL IN无线的战略，公司没有商量地调集最适应的员工进入无线互联网发展中最需要的地方，其调集的速度是惊人的。我曾问过张勇，有没有不服从公司安排的，他回答说在阿里巴巴好像没有这样的人，内部调动极其正常。也就是说，面对外在变化，阿里巴巴的员工可随时随地按照业务和发展的需要进行组合。一个小公司做到这点是容易的，一个3万多人的公司，就像一支特战队一样。如果没有前面频繁的组织结构的变化，通过组织架构的变化而打造了一种因变而变的文化，很难想象ALL IN无线能这样执行下去。

我们看到的许多公司战略很好，但涉及人员挪动时却频频受阻。为什么在阿里巴巴这种情况不存在呢？就是因为一直保持随时迎接变化的心态，而这个心态的保持不是有观念上的教化就可以的，而是要在不停的挪动中保持的。

我记得我们的管理团队在参观完阿里巴巴之后，有一个人对我说，她最大的感受就是随时挪到公司需要的任何一个地方工作，而且是没有前提条件的，这是一个公司应对市场挑战能胜利的决定性因素。

第三，战略到位，执行跟得上。我们看到有许多传统产业的公司，他们在拥抱互联网的过程中，在组织结构上，通常的做法是把互联网的人放到营销部门。这样做的结果是所谓互联网思维在公司里永远停在营销这个层面上，很难从根本上改变公司的做法。原因是没有深刻的认知，更重要的是没有组织结构的改变来支撑。

一个公司当战略清晰后，首先要动的就是组织结构，然后是人员的保障。没有相应组织结构保障的战略只会是口号。

了不起的拆分试验

淘宝一拆为三的新闻发布时，"小伙伴们都惊呆了"。

一个原因是时间点。2011年6月15日，马云刚刚在杭州紧急召开完支付宝股权转让问题的媒体沟通会。现在来看，支付宝股权转移事件引发的喧嚣，是2011年阿里巴巴和马云遭遇的最严峻的挑战之一。结果第二天，阿里巴巴集团就宣布了另一条爆炸性的新闻：将淘宝一拆为三，分别是C2C的淘宝网、B2C的淘宝商城和电子商务搜索引擎一淘。

这两条新闻如此之近，以至于马上有评论者认为，这是马云和阿里巴巴为了转移支付宝事件的批评之声，制造出的新闻。

与此同时，这个行为也的确足够大胆。毕竟，淘宝已经是中国最成功的互联网公司之一了。马云和他的高管团队却要对淘宝下手，将这家公司拆分成三家公司。

阿里巴巴集团的CMO王帅后来跟我说："决定拆的时候，我们也很紧张。那时候有人说了个笑话，如果淘宝这个几千亿的公司在我们手里给拆没了，那我们这帮人也算有本事。那大不了就拆没了呗！"

首席战略官曾鸣则说："最坏的情况就是，可能有一家公司做得没有想象中那么好。"

媒体上另一种对拆分的解释是：解放淘宝商城，应对B2C领域出现的众多竞争对手，其中首当其冲的是京东商城。2011年4月1日，京东商城宣布自己完成C轮融资，投资方包括俄罗斯DST和老虎基金，融资额15亿美元，打破了2005年阿里巴巴创下的10亿美元的记录。甚至有人猜测，阿里巴巴集团可能会选择将淘宝商城分拆上市。

后来我问过王帅，他的回答是："除了马云在公开信中谈到的各种业务上的考量之外，那时候，我们觉得可能我们公司还不具备管理几千亿平台的能力。通过拆分，我们就真的回到创业状态了。虽然这个决定很难，但是我们知道必须拆。"

马云自己则说："我们应该为自己骄傲！有几家公司敢在处于遥遥领先的地位、业务快速发展之际，还能摆脱对优势的依赖，能有自我变革的意志和力量，实施主动调整？"

阿里巴巴已经努力地去做了同外界的沟通——这也是大多数公司需要向阿里巴巴学习的地方，他们会主动地同媒体和公众沟通，向公众通报公司的变化和想法。在淘宝拆分两个月之后，阿里巴巴组织一群记者到杭州，同三个公司的负责人以及曾鸣、邵晓锋等集团高管交流。但从我的角度来看，当时我们这些媒体人还是低估了拆分淘宝的意义——这一次拆分也是2012年底阿里巴巴再次调整组织架构，将公司拆分得更细的前奏。

之所以低估，一个原因是2011年关于马云和阿里巴巴的新闻实在太多。而且，从2011年开始，公众舆论的风向开始变化，对马云和阿里巴巴的批评之声越发多了起来。在这种情况下，阿里巴巴在公司治理层面的一个了不起的尝试，反而在媒体上探讨得不够深入。而且直到今天，也没有太多关于拆分公司的报道出来。

另一家努力在公司治理上做出颠覆性变化的中国企业是海尔。海尔的创始人张瑞敏也在努力将公司变得更"小"。而且，从目前的媒体报道来看，海尔可能走得要更远。对一个千亿级公司操刀做这种改变，也让旁观者为他捏一把汗。

我不知道马云和张瑞敏有没有就拆分公司这件事情进行过讨论。毕竟，阿里巴巴投资了海尔，张勇还是海尔的董事会成员。这两家公司在管理上的努力变革，都值得尊敬，也值得我们更多地去关注。

節点24

2013年5月，布局物流，做"菜鸟"

为什么取"菜鸟"的名字？我刚刚做互联网的时候，很多人说我是一只菜鸟。但是正因为我们这批菜鸟，马化腾、李彦宏，所有这些菜鸟今天变成不一样的鸟……我们取这个名字，不断提醒自己，我们要对社会有敬畏之心，对未来有敬畏之心。我们希望自己成为一只勤奋、努力、不断学习、对未来有敬畏、对昨天有感恩的鸟。

对社会有敬畏之心

　　2013年5月28日上午由阿里巴巴集团牵头组建的"中国智能骨干网"（简称CSN）物流体系在深圳正式启动。阿里巴巴集团联合国内银泰集团、复星集团、富春集团、顺丰、申通、圆通、中通、韵达成立了一个物流公司，名为"菜鸟网络科技有限公司"，同时也发布了公司的产业定位和发展战略。"菜鸟网络"这个企业名称由马云亲自选定，寓意为做生意的时候要永远保持"菜鸟"般的学习心态。这也是继"天猫"之后，马云取的有一个颇具话题性的公司名字。

　　公司创立之初，银泰集团董事长沈国军出任"菜鸟"CEO，马云出任董事长。中国智能骨干网第一期投资大概是1000亿元人民币，计划在10年内建立一个能支撑日均300亿网络销售额的全国智能物流系统，力求"让全中国任何一个地区做到24小时内送货必达"。日均300亿的网络销售额相当于年度10万亿的规模，而2012年，天猫与淘宝的网络销售总额已突破1万亿元人民币。就在CSN计划启动的同时，"菜鸟"高层已经开始与多省份接触，着手准备各核心、关键网络节点的选址工作。

　　"菜鸟"平台注册资本为50亿。天猫商城为最大股东，出资21.5亿，占股43%；其次是银泰集团出资16亿，占股32%；富春集团投资5亿，占股10%；复星集团投资5亿，占股10%；顺丰、"三通一达"各投5000万元，共占股5%。

早在2011年，马云就已经启动了网商物流园建设。2011年底，阿里巴巴华北电子商务物流园在天津武清区成立，总投资额30亿元，旨在为众多中小电子商务企业提供交易配送、仓储、结算等一条龙解决方案。但两年后的2013年，武清物流园的发展速度出人意料。大家敏锐地察觉到，电商不仅仅需要仓储服务，更需要一体化的物流系统供应链综合服务，而当时的阿里巴巴物流系统提供不了这种服务。所以"菜鸟"物流网络应运而生。

未来的菜鸟网络将是协同线上、线下的立体结构。主要分为四大层次：首先是，最前端的24小时全国到达的快速配送物流网络；其次，对物流园区与干线进行充分整合；再次，打造可视化的供应链运营平台；最后，基于大数据系统，为物流体系提供供应链预测及分配服务。

过去多年，马云一直把物流定义为淘宝与天猫业务的服务支撑者而已，他也反复重申过不想涉足物流行业。随着阿里巴巴系的逐步壮大，商流、资金流、数据流都已牢牢地控制在自己手上，唯独物流系统不在自己掌控之中，而且已经成了制约网商体系发展的重要因素。迫于无奈，马云开始了整合物流的脚步。阿里巴巴系的最终目标是，淘宝天猫平台控制前端商品流，支付宝和阿里巴巴小微金融控制资金流，菜鸟网络则全盘接管物流和大数据流。驾驭整个电子商务供应链体系，就意味着阿里巴巴系天天都是"光棍节"。

2014年6月12日，阿里巴巴与中国邮政集团在北京签署了战略合作协议，双方将更加深入地进行合作，共同探讨未来电子商务物流发展的新模式。可以期待的是，在未来民营快递或可通过菜鸟网络的平台，共享国企完善的基础设施和资源。此次协议的焦点之一就是，中国邮政集团将对菜鸟网络开放其十多万家基础服务网点，为商家和消费者提供便捷的快递配送服务。目前，中国邮政已经与世界上120多个国家和地区建立了直接通邮的关系，中国邮政作为万国邮联成员单位，它在国际快递领域的优势，也会助力阿里巴巴集团未来的国际业务发展。

电子商务生态系统的布局

菜鸟网络其实是阿里巴巴电子商务生态中的题中应有之义。就在2013年"光棍节"上，菜鸟网络的物流数据雷达、天气预警、物流预测等产品已经开始帮助商家和物流公司准确决策，提升货物流转效率。如果说定位于数据化分析、追踪的物流宝的代号是"天网"，涉足实体仓储投资的菜鸟网络就是"地网"。这个地网就是现在被误认为圈地的仓储建设。

我们看到菜鸟网络科技有限公司召集了一大批物流和快递公司在麾下，它的投资额度之大是空前的。目的也许有两个：一个是希望未来在大数据应用中让物流这个产业升级；还有一个是，这个菜鸟公司在未来C2B对传统产业的改造过程中，承担着资源的重新分配和调度的职能。当我们看到以阿里云计算为基础的骨架搭起来，然后相应地服务于物流产业的数据产品，"菜鸟"公司在全国各地建造仓储的系统时，阿里巴巴的天上、地下进行了有效的缝合。互联网时代，一个以客户需求为源头进行的产品制造，通过网络销售，再通过智能物流抵达千万家的大体系，终于有了清晰的轮廓。至此，阿里巴巴的电子商务生态系统已从线上行进到了线下，天上、地下进行了完整的对接。而这个对接一直是以满足用户的需求为核心来进行的，所以用户永远是这个系统的主角。

我们看到移动互联网时代，用户的入口有了改变。所以2013年底，当优米网的团队拜访阿里巴巴时，整个阿里巴巴全部ALL IN无线。全体阿里巴巴员工将在移动互联网时代再次征战，这就是因为互联网的时代，如果没有用户，一切系统的建立都无法显示它应有的价值。

**时代
大视野**

食言与圈地？

2010年及之前，阿里巴巴股权投资物流公司；2011年1月马云宣布物流战略，"千亿资金投资建设电子商务配套的现代物流体系，全力推动社会化物流平台的建设"；2013年同复星、银泰富春和几家快递公司一起成立"菜鸟"网络。这是马云和阿里巴巴进入物流行业的三个步骤。

除了2012年5月宣布"菜鸟"成立的发布会，以及2013年"双十一"，杭州阿里巴巴集团总部直播"双十一"的大屏幕显示的物流信息，我们再难以觅得"菜鸟"的踪迹。偶尔听到的，都是批评之声。

首先争论的是，马云说过阿里巴巴不会做物流，现在，马云食言了吗？2010年7月，马云说："阿里巴巴以前确实说过不会做物流，但是不去做解决不了问题。现在发现中国的物流业基础建设薄弱，直接制约了电子商务市场的发展速度和质量。"2011年1月，马云说："也许大家觉得我讲话好像'忽悠'大家，我们是真这么想，而且就这么在做。所以物流我们是一定要做。这是我在去年做的唯一重大决定。"2013年"菜鸟"成立时马云说："我们做不好物流，也不会去做。"

另一个争论是，"菜鸟"是在各地圈地，投机地产吗？最近的一个批评，是由商务部电子商务司副巡视员聂林海发出的："如果马云做一个物流的第四方智慧平台，我觉得会对国家做出重大贡献，但是发现他到处建物流基地、建仓储，原因是禁不住诱惑。"

其实看马云各个时期的发言，我们会发现马云的核心想法其实并没有变化：他关于信息流、资金流和物流的逻辑没有变化；他要做生态系统和平台的想法也没有变化。我相信他是真心认为物流行业是下一个大爆发的行业，我也相信他所讲的，阿里巴巴做物流是要做物流的平台建设。

当马云讲阿里巴巴不去做物流时，按照马云的逻辑，这里具体所指是阿里巴巴不会直接去做快递公司。马云的原话是："我们不会抢快递公司的生意，阿里巴巴永远不会做快递，因为我们没有这个能力，我们相信中国有很多快递公司做快递可以做得比我们好。"就好像阿里巴巴也做电子商务，但是阿里巴巴不会去做一家自营电商同天猫和淘宝上的其他商家竞争。这是平台思路和自营思路的不同。马云只是将做天猫和淘宝的逻辑延伸到了物流行业。

至于"圈地"的批评，按照"菜鸟"披露的战略，菜鸟网络要建立"地网"，做单个快递公司难以建成的仓储网络，难免要在各地拿地。但是这并没有挡住批评阿里巴巴圈地的声音，那些声音依旧响遍社交网络。

此时的阿里巴巴，非常像一个已经长大的巨兽，它的一举一动都会让看到的人大惊失色，但它自己却没有意识到，仍以为自己尚且年幼，动作尚且轻灵。马云最初在湖畔花园别墅筹建C2C项目时，可以一言不发，对外保密。但是今天阿里巴巴的一举一动，只要是跟外界发生了关联，都不可能不被议论。

阿里巴巴需要清楚地认识到，自己是一家大公司。尽管这种关注会让它不舒服，但它必须学会与这种过度关注和过度解读共处。它需要让自己更透明、更开放，也唯有如此，才能自动消解一些来自于猜测信息的批评——比如，"菜鸟"就需要如此。

节点25

2013年6月，余额宝诞生

世界上没有一个产品的生命周期是永久的。在改革开放的进程中，如果有一款产品能发挥推动历史的作用，即便它的生命周期再短暂，也必将非常光荣。

互联网思维向传统行业渗透

随着互联网思维向传统行业渗透，一大批互联网金融产品进入了人们的视线。2013年6月，余额宝的推出令普通老百姓第一次感受到了互联网金融的魅力。

何为余额宝？余额宝是支付宝与天弘基金合作推出的一款金融产品，通过余额宝，用户可以把支付宝中闲置出来的资金转移到余额宝账户，之后，可以自动进行货币基金的购买，能够帮助用户得到高于银行活期利率的收益。

相比传统理财产品，余额宝类产品以"比活期存款利息更高，比基金购买更方便"这一理念迅速风靡起来。在短短不到一年的时间里，余额宝就积累了8100万个人用户，基金总规模更是超过了5000亿元人民币。它风靡的另一个原因是操作流程简单，使用方便快捷。整个购买或者赎回流程可以在支付宝中完成，不需要再次进入第三方平台。同时不设立投资门槛，吸引全民参与。最大限度地集中社会所有零碎、闲散资金，提升社会资本的利用率。

余额宝规模快速发展的同时，也不得不面对更多内部与外部的问题。

行业内，国内的腾讯、苏宁、百度等互联网巨头纷纷推出自己的货币基金类理财工具，微信凭借自己强大的用户基数以及良好的社交属性，更是一路猛攻。而一些公司为了抢占互联网金融的先机，采取了自掏腰包补贴收益率的方式进行用户的争夺。

同时，国资银行也纷纷揭竿而起。先传出国有三大商业银行再也不接受各自分行与天弘基金进行协议存款交易，后有工、农、中、建四大银行相继下调了支付宝网商快捷支付的额度，从根本上试图制约余额宝类理财产品的发展速度。

媒体更是一路穷追猛打，质疑余额宝的合法性。2014年3月，就在两会召开期间，各大企业政府决策人员，也聚焦到了余额宝的身份与发展问题上。3月4日，支付宝公关总监在微博澄清："余额宝从诞生第一天就得到了监管部门的大力指导和有效监管：诞生至今的264天里，共计得到各种监管43次，平均每6天一次。今年1月至今，央行、证监会、国家审计署等累计来监管了19次。"

而也是在两会期间，全国政协委员、中国人民银行行长周小川在接受记者采访时表示，对余额宝等金融产品肯定不会取缔，过去没有严密的监管政策，未来有些政策会更完善一些。这是政府高层首次在媒体面前发表关于余额宝的意见，余额宝也获得了政府的认同。

2014年5月26日，在余额宝成立一周年之际，天弘基金推出了《余额宝一周年大数据报告》，第一次从大数据的角度全面系统地披露了余额宝在过去一年中的运营情况。天弘基金运行一周年，客户超过1亿人，用户人均持有余额宝5030元，人均年龄29岁。余额宝共为"宝粉"创收118亿元。江苏、广东、山东成为"宝粉"人数最多的三个省份，重庆、上海、温州则成为"宝粉"最聚集的城市。在各省市中，绝大多数省份男性持有金额高于女性，或者相当，只有浙江、上海和黑龙江三地，女性持有金额高于男性，且女性用户数超过男性。

对于余额宝未来的前景，马云并没有太大的担心，他说："世界上没有一个产品的生命周期是永久的。在改革开放的进程中，如果有一款产品能发挥推动历史的作用，即便它的生命周期再短暂，也必将非常光荣。"

进入更为艰难的领域

余额宝是拥有互联网用户的阿里巴巴在支付宝上做的一个试验性产品，这个产品因为受到"屌丝"的喜欢而迅速受到市场欢迎。无疑它是互联网时代年轻人需要的金融产品，但它的出现也给现有的监管体系出了难题，给现有的国有银行添了一个他们一时难以接受，并且以他们现有的模式做不到的一个产品。之所以说艰难，是因为现有的金融监管体系就摆在那里，中国国有银行的力量就摆在那里。一个是国家机构、一个是国有企业，这两个系统都不是阿里巴巴打交道的强项。阿里巴巴熟悉中小企业，阿里巴巴熟悉互联网用户，但阿里巴巴的确不熟悉这两个系统，这两个系统的思维方式与互联网公司的思维方式相差太多，打起交道来的确会很费劲。互联网的力量会在金融领域创新，并且有一番作为，这是一个不争的事实，但拥有电子商务生态系统的阿里巴巴是否要在这个领域费很大的力气，这不应该是一时的决策，而应该是一个战略性的考虑。以小微金服成立集团这点来说，金融的局布得是很大的。

余额宝冲击波

在我看来，如果说2012年中国互联网最大的创新产品是微信（虽然微信在2011年推出，但大红于2012年），2013年最大的创新产品就是余额宝。

微信和余额宝的背后是两家互联网巨头腾讯和阿里巴巴，它们都对已有的垄断型行业发起了冲击。起初，微信冲击的是电信行业和移动运营商，而余额宝冲击的则是金融行业和银行。微信和余额宝也都在短暂的时间内获得了海量的用户。2013年底，微信用户已达到6亿；余额宝用户则在2014年7月达到1亿，它的用户数量已经超过中国的股民数量。

但是余额宝受到的质疑和冲击却远大于微信。

微信受到的冲击，最多的来自于移动运营商。从2013年2月底开始，关于"微信收费"的消息开始流传，而各个运营商高层也在不断地抱怨微信对运营商网络的冲击。腾讯CEO马化腾最近几年唯一一次接受采访，是在央视《对话》节目的录制现场。采访一开始，马化腾就开玩笑说，来的时候他办登机手续，机场工作人员都问他是不是微信要收费。但在这之后，微信基本再无压力，也无负面报道。甚至运营商同微信之间的矛盾也被自然化解，不了了之。

余额宝则不同。一方面，几个大银行的高管在各个场合抱怨余额宝抬高资金成本，扰乱金融秩序；另一方面，媒体上关于余额宝是不是创新，以及余额宝究竟应该被如何监管的讨论不绝于耳。同时，余额宝收益的每一次下降，都能成为一个新闻标题。马云也曾在自己的"来往"的"扎堆"中公开抱怨，因为余额宝，支付宝受到包括四大行在内的不公待遇，但是旋即删除。

两个产品带给两家公司的媒体效应也不同。因为微信，腾讯擅长做产品的观念深入人心，微信的创始人张晓龙成为腾讯马化腾之外最闪耀的媒体明星，一跃而成为产品工程师的代言人；但是余额宝却并未带给阿里巴巴同样的媒体效应，余额宝的产品经理没有成为明星，阿里巴巴反而因为"来往"软件的失利，继续被认为不擅长做产品。

为什么国民应用产品微信和国民理财产品余额宝带给腾讯和阿里巴巴的效应会如此不同？

其中第一个原因是腾讯在"3Q大战"之后开始着力转变公众形象，这家公司从"互联网公敌"的舆论低点开始慢慢向上爬升。而阿里巴巴从2011年开始，则从新商业文明的高点向下跌落。

第二个原因是，创始人的风格不同。马云曾经放言，如果银行不改变，那么阿里巴巴就要去改变银行。马化腾就曾经问过马云，为什么会有挑战银行的自信，腾讯就从来不敢说自己要去挑战运营商。马化腾更像一个在商言商的潮州商人，在商业上的风格低调，但低调背后隐藏的是凶猛的进取心。在运营商向微信施加压力之后，微信竟然成了阿里巴巴的挑战者，这可能是马云都始料未及的。他说："我原以为腾讯会去摇晃运营商，没想到它最后摇晃的是我们。"

第三个原因是，微信和余额宝在两家公司的位置不同。微信俨然已经成为腾讯的战略之重；而余额宝在媒体上表现出来的信息，说明余额宝只是马云创办的两家集团公司中的一家（小微金服）开发出的一个产品。

第四个原因可能是，阿里巴巴市场团队的失策。张晓龙在媒体上曝光无数，俨然成了新一代互联网的领军人物。而余额宝仅仅是以小微金服的一个产品的形态出现在媒体上。这样一个国民级理财产品，阿里巴巴的市场与公关团队竟然没有让它的创造者，成为阿里巴巴年轻一代领导者中的代言人物，竟然没有抓住机会去扭转阿里巴巴不擅长做产品创新的公众印象。以阿里巴巴市场团队过去一贯优秀的表现而言，此次不知何故竟然错失这样一个机会。

2014年，IT到DT，
阿里巴巴的移动战略

我个人觉得手机将来会成为数据消费器，它真正改变的是生活方式，如果说PC改变了我们的工作方式、生产制造方式，无线互联网则是生活方式的变革，中国未来会因为无线互联网而发生天翻地覆的变化。

面向新经济体的布局

2012年，国内移动设备用户数超过了PC上网用户数。随着科技的发展，智能手机越来越普及，其功能也越来越完善。仅2013年一年，新增的移动互联网用户数就高达5300万。当大多数人同时拥有PC与移动设备时，智能手机具有的随时随地时效性与良好的用户交换页面往往能优先得到用户的青睐。

马云在诸多场合表示过，移动互联网是PC互联网最大的挑战，同时它也是互联网最大的支持者。很多互联网业内人士尚未对PC互联网研究透彻，就被历史的潮流推入了移动互联时代。在这个过程中，有些人的思想依旧，以PC互联网时代的视角来看待传统行业，而那些移动互联网人士已经站在新的视角开始观察互联网，这对全球互联网公司都是巨大的挑战。

马云还认为，中国移动互联网的机会要超过PC互联网，尤其在三、四线城市，中国的农村有望跨越PC时代，直接过渡到移动互联网时代。"我个人觉得手机将来会成为数据消费器，它真正改变的是生活方式，如果说PC改变了我们的工作方式、生产制造方式，无线互联网则是生活方式的变革，中国未来会因为无线互联网而发生天翻地覆的变化。"

移动端竞争日趋激烈，阿里巴巴在移动端投入了大量人力物力，早在几年前，阿里巴巴集团内部就开始尝试研发各种移动客户端。除了旺信、来往、淘宝及支付宝移动端、一淘火眼，O2O等本地生活类移动应用也在重点开发中。据悉，由阿里巴巴自身推出的移动互联网产品，已近30个。

此外，阿里巴巴系也在整个移动互联网上下游进行大规模的收购。一方面力推自己原有的优势领域，围绕着电子商务进行产业布局，如全资收购高德地图、入股新浪微博、推进移动支付等，在O2O领域做了诸多的尝试；另一方面，以"广泛撒网，重点捕鱼"的方式投资收购了众多移动产品。继百度收购91之后，阿里巴巴又收购了UC，成规模的独立移动互联网企业所剩无几。移动互联网的资源和用户在不断地向传统互联网巨头集中，对于创业企业来说，竞争环境更加残酷，而能够吸引到大量用户的移动端产品则可能成为传统互联网巨头收购的下一个目标。

从战略层面上来讲，阿里巴巴优先对移动端资源碎片进行整合。在组织架构上，阿里巴巴集团成立了专门的无线事业部，并在每个事业部内形成了独立的无线业务模块，由内而外地衍生出更多的无线产品。

马云也多次对无线事业部的同事表示："你的职责就是灭了淘宝，你灭了淘宝的时候，就是你成功的时候，而不是说帮助淘宝更强大，在你好的时候必须想办法打败你自己，在你不好的时候想办法把自己做强。"

未来淘宝无线方面的目标就是再创造一个与PC端相当体量的手机淘宝。根据淘宝无线方面得到的数据消息，2012年无线淘宝的累计用户访问量突破3亿人次，其中成交用户达6000万，无线淘宝业务交易比例也占到大淘宝业务体系的近7%。

两个视角看阿里巴巴的并购

第一，从未来社会发展看今天的商业选择。有许多人都曾说，阿里巴巴一系列的并购的确有些看不懂，那是因为阿里巴巴所做的一系列并购不是从今天的格局着手的。比如说文化产业，它更应该是从世界各先进国家文化产业在GDP中的占比来看的。今天中国的文化产业在GDP中只占3%，而在发达国家，比如美国、日本都占百分之十几。当然健康产业、环保产业这些都与中国国情更直接关联。

第二，从消费者或者用户的行为习惯着手。未来是用户的选择决定制造业，也就是C2B，阿里巴巴手中有大量的买家数据。这些数据和正在生存的数据，将决定未来中国的制造商生产什么、何时生产、何时送达等，这些以前是由制造者说了算的事情。为此，我们今天看到的阿里巴巴的并购对象基本上都具备一个特征，那就是都是与大数据发生强关联的公司。

这也就是阿里巴巴最新提出的DT新战略。

马云恐惧了吗

2014年春节期间，手机上最流行的"游戏"不是一款真正的手游，而是腾讯微信开发的一款产品：抢红包。

微信红包在2014年1月26日推出；而支付宝在3天之前，即2014年1月23日农历春节"小年夜"就推出了"发红包"和"讨彩头"功能。但是支付宝的类似服务，光芒却完全被3天之后的微信红包给掩盖了。

发放微信红包需要绑定银行卡。微信红包的流行，相当于为2013年8月开始的微信支付搞了一次市场营销。而在春节期间，社交网络和媒体上也流传着各种关于微信红包的夸张言论，如："微信绑卡用户破亿，一个红包就超过支付宝8年干的事。"各种关于马云春节期间如何忐忑的段子也被编了出来，通过社交网络流传。而马云本人，则在阿里巴巴自己的移动社交软件"来往"上，将微信红包称为一次"偷袭珍珠港"。

腾讯微信调转枪口，不再对准垄断的移动运营商，而是瞄准了支付宝一直在努力耕耘的移动支付，并进一步虎视眈眈地盯着阿里巴巴的根基——电子商务。

同时，"微信颠覆一切"的想法在互联网世界流行。尽管理性的互联网观察者都认为这可能是微信的不能承受之重，数据也并不支撑这个判断。更有人借用流行的科幻小说《三体》中星球战争的说法，声称微信对于其他互联网公司，就像高维文明对低维文明的攻击，"毁灭你，但与你无关"。

再之前，则有"移动互联网时代的船票"的提法。马化腾在2013年接受央视《对话》栏目采访时自谦说：腾讯凭借微信拿到了移动互联网的半张船票；如果微信不是腾讯自己的产品，他也会被吓出一身冷汗。

反观阿里巴巴。已经宣布卸任CEO的马云给人的感觉，仍是在亲力亲为，亲自领军向微信"宣战"。他和阿里巴巴应对微信的反应，被人最多看到的，是强推自己类似微信的产品"来往"。阿里巴巴的高管们立下军令状，将"来往"的用户数同自己的奖金挂钩，并且要求阿里巴巴的每个员工都相应拉来一定数量的用户。

马云"宣战"的这段话也在互联网上广泛流传："今天，天气变了，企鹅走出了南极洲，它们在试图适应酷热天气，让世界变成它们适应的气候。与其等待被害，不如杀去南极洲。去人家家里打架，该砸的就砸，该摔的狠狠地摔。兄弟们好好玩吧！微信IM本来就不是我们的。把企鹅赶回南极去！动起来！我们11月底将清点每个人的努力，我们12月的冬季攻势要更猛。明年夏天，我们要看到火烧南极！"

当然，除了"来往"，阿里巴巴还通过投资和收购，布下了一连串移动互联网棋子：投资新浪微博——它是微信诞生之前最火的社交网络应用；先投资再全资收购高德地图；投资微信之外的另一款用户过亿的移动社交应用——陌陌；投资快的打车，同腾讯投资的嘀嘀打车掀起补贴大战。推广自己的电子商务移动应用手机淘宝和移动支付应用支付宝钱包。

在强推"来往"时，马云将"来往"同"微信"的战争比喻为2003年开始的淘宝与eBay的战争。虽然都是将战火燃烧在对方的领地上，但是正如我们所看到的，阿里巴巴早已不是当年的阿里巴巴，它同腾讯之间的竞争，不能再被视作大卫与歌利亚之争。尽管马云反感阿里巴巴被称为"帝国"，但媒体仍然使用了如"帝国反击战"这样的标题。

阿里巴巴前期在移动互联网领域的举动，反而被人视作"恐惧"和"贪婪"。当年的淘宝奋起而反击eBay是"勇敢"，因为eBay太过强大；今天的"来往"抗衡"微信"则是"恐惧"，因为阿里巴巴已经是一家大公司了，它自己的领土需要捍卫。当年对抗eBay，是要用创新型的服务满足更多的中国用户；今天阿里巴巴四处出击则容易被当作"贪婪"，它什么都想做，什么都要插上一脚。

只有马云提出从"IT"时代到"DT"时代时，观察者才为阿里巴巴松了一口气。这家公司终于不再纠结于一款智能手机上的移动应用，而是拿出了自己移动时代的战略。在这个战略中，可以有多个终端，但云才是根基。阿里巴巴又一次证明了自己在战略上的领先。

最后，阿里巴巴推出"来往"的一个意外结果是，马云的言论在"来往"的"扎堆"，成了他对外发声最频繁、最重要的渠道，每次他有新的文章发表，都会被迅即转到互联网上。

节点27
2014年9月，美国上市

上市从来就不是我们的目标，它是我们完成自己使命的一个重要策略和手段，是前行的加油站。但阿里巴巴人要清醒地认识到资本市场巨大利益诱惑背后有着无比巨大的无情和压力。只有很少数的杰出企业能够在资本市场持久驰骋。阿里巴巴这次在国际资本市场必将会因为规模、期待值、国界意识、文化冲突、区域政经……遭遇空前绝后的挑战和压力。只有坚持我们的坚持，相信我们的相信，我们才有可能在压力和诱惑中度过未来艰辛的87年。能够面临这样全球性挑战的企业并不多，我们荣幸成为其中的一个。

感恩过去，敬畏未来

2014年5月7日，阿里巴巴集团向美国证券交易委员会提交了IPO招股书。招股说明书中表示阿里巴巴现今是电子商务最大的交易平台，涵盖零售与批发贸易两大领域。淘宝、天猫与聚划算，构成"中国零售平台"；阿里巴巴国际站和1688.com，分别是国际与国内批发贸易平台；速卖通是阿里巴巴旗下的国际零售平台。截至2013年底，淘宝和天猫的活跃买家数超过2.31亿，活跃的卖家数大约为800万。2013年，"中国零售平台"的交易总额达到15420亿元，约合2480亿美元。阿里巴巴目前的规模很明显远超eBay和亚马逊，成为全球第一。

另外，2013年，大约有113亿笔的交易在阿里巴巴旗下的"中国零售平台"达成，平均每个买家购买了49笔，每一笔的成交额约136元。按照这个数据计算，相当于每个买家一年时间内有6700多元花在了阿里巴巴。6700元是淘宝和天猫上买家的平均消费额。在淘宝上还活跃着100多万被称为"剁手族"的购物狂人。数据显示，他们人均年购物总额高达16.16万元！数量庞大的买家群体的鼠标点击，产生了同样数量惊人的包裹。2013年，淘宝和天猫共产生了50亿个包裹，占中国当年包裹总量的54%。

招股说明书中显示，2013年的2～4季度，阿里巴巴集团的收入为404.73亿元，运营利润达207.38亿元，运营利润率约51.2%；净利润177.42亿元，净利润率达43.8%。

阿里巴巴集团的收入主要来源于向卖家提供的互联网营销服务和从交易额中抽取的佣金。淘宝通过售卖展示广告、搜索关键词竞价等获得收入，天猫商城、聚划算和速卖通则从商家的成交额中抽取佣金和收取技术服务费，1688和阿里巴巴国际站通过收取会员费和提供互联网营销服务获得收入。

阿里巴巴的高利润，是与其轻量化运营的方式有关的。纯粹的平台模式下，毛利率水平一直很高。2009年以来，阿里巴巴集团毛利率一直在70%上下浮动，最低66%，最高78%。

借助于平台模式，随着平台交易额的提升，阿里巴巴的收入规模也水涨船高，相应的成本和费用占比则快速下降，运营利润率和净利润率迅速攀升。2013年，阿里巴巴集团的运营利润率为51.2%，净利润率为43.8%。每年保持50%以上的高速增长。

未来几年，中国的在线零售市场仍有很大的增长空间。目前，在线零售占中国总零售市场的份额仅为7.9%。艾瑞咨询预计，到2016年，中国在线零售市场的普及率将达到11.5%，规模达3.79万亿元。这意味着从2013年至2016年，年复合增长率为27.2%。阿里巴巴旗下的淘宝和天猫平台，占据中国网购市场的绝对领先地位，预期增速将高于行业平均水平。

阿里巴巴上市，也是普通员工获得回报的一次机会。2014年5月7日凌晨，马云向全体员工发送了内部邮件，介绍了此次上市的事情，提醒员工要"感恩过去，敬畏未来"。

在邮件中，马云说："上市从来就不是我们的目标，它是我们完成自己使命的一个重要策略和手段，是前行的加油站。但阿里巴巴人要清醒地认识到资本市场巨大利益诱惑背后有着无比巨大的无情和压力。只有很少数的杰出企业能够在资本市场持久驰骋。阿里巴巴这次在国际资本市场必将会因为规模、期待值、国界意识、文化冲突、区域政经……遭遇空前绝后的挑战和压力。只有坚持我们的坚持，相信我们的相信，我们才有可能在压力和诱惑中度过未来艰辛的87年。能够面临这样全球性挑战的企业并不多，我们荣幸成为其中的一个。"

同时，马云还特意提到了员工持股的事情，称集团HR将会发出处理方案，"这是件令人高兴的事。我们也必须坚持'认真生活，快乐工作'的原则，请大家处理好自己的财富，在照顾好自己、家人的同时，力所能及地做些回报社会的工作和捐助。"

最后，马云仍旧重申阿里巴巴在上市后仍将坚持公司的使命和原则，"阿里巴巴人，过去15年我们过得很艰难，但很精彩。未来的每一天注定不会平凡，不会简单。今天不努力，我们可能看不到明天的太阳。没有一家企业会持久顺利，我们在坚持我们坚持的同时，必须为客户而变，为世界而变，为未来而变。"

穿布鞋的马云

在写这本书时，阿里巴巴正值上市缄默期，如果没有什么意外，2014年9月，我们将看到一个世界前五名的公司诞生，也许还会是前三名。马云无疑是近代以来中国最了不起的创业者，我们在前面用26个节点进行了还原，让那些"了不起"有据可查、有章可循。我相信读者看到这些节点后，不会认为马云是传奇，是神话，是外星人，绝顶聪明，遥不可及，携带神功。

因为跟马云有过一些交往，有许多人问我，为什么马云会这么了不起。我说他的确了不起，他身上只有两三点"了不起"，这使他与众不同、杰出。他身上这两三点是什么呢？

第一点，他能看到并坚信互联网在未来的发展前景。看到未来的力量，是马云最了不起的地方。不是所有人都会把一个新鲜事物与未来紧密地联系起来，也不是所有人在联系起来后能够毫不动摇地坚信它，即便全球互联网泡沫出现，马云也在坚信。另外，马云的坚信并不只是观念上的坚信，而是带着一个逐渐发展壮大的团队身体力行，去普及互联网的观念，用互联网改变商业、行业和售买方式，最后创建了一个互联网电子商务生态系统。

第二点，从公司角度来说是使命感和价值观。一个企业，一个几万人的企业如果没有使命感，这个企业就是一部挣钱的机器。当两个人打架时，体力武功差不多，若中间有一个人的使命感强于另一个人，那么，胜利的一定是那个有使命感的人。今天的阿里巴巴已经是一个经济体的量级，不仅如此，由于其经营的业务及其辐射力，它会逐渐对许多产业和领域产生较大的影响。一个生态圈的建构者，若没有使命感和坚守的价值观，它对于我们这个国家商业文明的影响将会怎样？以如此的体量存在于一个发展中国家，它何以立足？无论从生存还是从内驱力，这样的企业应该也必须有价值观。当然可贵的是这个使命感和价值观是在阿里巴巴规模很小的时候马云提出的。我记得马云曾参加过2002年在纽约的达沃斯世界经济论坛，这基本是中国最早参加世界经济论坛的嘉宾，后面十几年，他基本上每年都参加。他曾说达沃斯是一所学校，在社会担当和使命感上他向世界级的政治领袖和商业领袖学习过许多，有一年，在我们从瑞士回中国的飞机上，他关于这方面谈过很多。当时我确实不理解，为什么那么多中国商人在谈如何赚钱，而他却在使命感和价值观上花那么大的力气？作为媒体人，我们是喜欢企业家谈这个的，因为太多的企业家无法从具象上升到抽象，而他能在这样抽象的问题上谈出他的想法。但他谈时，企业角度的，我是完全不懂的。今天我自己也有一个小企业，懂的程度比以前好很多，但未必全懂。但是我可以从一个人的使命感和价值观上理解，这样的角度会更容易让读者明白。

无论是在我的初中、高中、大学、研究生、博士生阶段的同学中，还是在中央电视台的同事中，都有许多条件好、专业好的人。但回头看，有一些人变得越来越平庸，有一些人变得自己都不喜欢自己，还有一些人进了监狱，但很少有人仍然在追逐自己的梦想，并且每天为之努力。一样的学校、一样的工作单位、一样的专业能力，为什么人生的状态如此迥异？其根子上的不同，是每个人使命感的强弱和价值观的差异。这两种东西虽然看不见摸不着，但是时时事事决定着人的选择和判断，而这些选择和判断与人生百态发生着极强的关联性。所以，人与人之间最本质的区别不是技能、专业、能力、情商，而是人生的使命感和价值观，而企业同理。

第三点，先付出再得到，或者先付出不想回报。这一点其实是马云的好朋友李连杰告诉我的。我在优米网做了一个关于李连杰人生传记性的五个小时的访谈，谈完后我们意犹未尽，又说到了马云。他说马云是他见过的人中，真正能做到先付出后得到的人，其他人都停留在嘴上说说而已，而马云就是这么做的。李连杰说到这一点时很随意，但我完全记住了，连同他说这段话的表情。其实想想我们周围有太多精于算计的人、情商高的人、爱财如命的人，但最后所得到的财富并不多，人生的结局也未必好。为什么会这样呢？因为先付出再得到这一点做了区分。如果一个人能做到这一点，他的朋友将遍布各个角落，如果他能说服团队做到这一点，他的团队将是一个不讨价还价、先做再说的团队。

没有使命感，人生会找不到奋斗的意义；没有价值观，奋斗的方式会扭曲。这二者缺一不可，可这两点在社会上是人们最容易忽略的。我们看到，人们可以为了专业知识和业务技能努力，但对于寻找人生的意义这件事情则可能不那么较劲。而这，正是优秀的人和优秀的公司，与普通的人和普通的公司之间最大分野！

我知道这个世界上大多数人听了这三点会不以为然，甚至嗤之以鼻。其实，这种回应的态度也就说明了为什么大多数人是平凡和平庸的。如果有谁相信这三点，并且身体力行，谁就有可能脱颖而出，跃出水平线，进入优秀者行列。

　　2014年9月份，马云和他的团队会登上纽约证券交易所的那个舞台，那一刻的马云会想什么呢？那些他受过的难以言说的委屈，那些不期而至的苦难，那些被骂成骗子的尴尬，那些被人打击的伤痛，那些阿里巴巴发展史上生死节点的心悸，那些类似于《东方时空》中拍摄到的被人呵斥、被人拒绝的场景，会浮现在他的脑海里哪怕一秒钟吗？把阿里巴巴做成102年企业的梦想在那一刻还是橙色的吗？那些今天不知在何处的阿里巴巴前员工，马云能在这个时候能想起多少呢？在纽交所的马云还会想起他第一次来纽约，因为穷住在一个四面无窗的房间里的情景吗？因为第一次的体验，纽约成为他不喜欢的城市，而今天的纽约却成了他22年奋斗成果的检阅台，他对纽约的印象是否会有些许改变呢？这些我们都不得而知。但有一点我很清楚，那个时刻他一定穿着皮鞋，而离开后，但凡有可能，他还会很快换上布鞋。

　　穿布鞋的马云，是一个可随时打太极的马云，是一个完全不再管身高是多少的人，是一个随性的、还原了本真的马云，是一个脚踏实地、不易随风飘起的马云，是一个不被神化和传奇化的马云。

　　在这个越来越多的人穿皮鞋的时代，马云喜欢穿布鞋。

　　当阿里巴巴在纽交所敲响钟声的那一刻，我庆幸自己认识并熟悉马云，庆幸我的人生受到了他创业的影响，庆幸有机会了解了我们这个时代，发生在我眼前的真实的传奇。纽交所的钟声会和我遥远的祝福一起，祝福那个穿布鞋的马云！祝福阿里巴巴团队！更祝福102年！

喧嚣中上市

阿里巴巴集团上市进程的每一步都备受关注：同香港证券交易所就合伙人制度的隔空辩论、宣布到美国上市之后关于它选择美国上市的利弊分析、提交招股书之后对它的研究、缄默期期间媒体对它的各种深挖。成为媒体关注焦点的包括阿里巴巴的27个合伙人、马云是否会成为首富、阿里巴巴的收购战略、马云的私人飞机、上市可能会造就8000个千万富翁……

一些媒体的报道甚至迫使阿里巴巴打破缄默期的静默来表明自己的立场。其中一篇报道是《纽约时报》关于阿里巴巴投资者的文章。这篇名为《阿里巴巴上市背后的"红二代"赢家》的报道，指向的是阿里巴巴的三个投资机构股东——博裕资本、中信资本和国开金融。阿里巴巴被迫通过微博回复说，这些信息在2012年9月融资时都已公布过，而且三家机构的投资价格同其他投资人都是相同的："我们曾多次表述我们对这个时代的感恩与敬畏。我们在此也再度申明公司的立场：我们唯一的背景只有市场。对于外界强加于公司的各种'背景'，我们以前没有，现在没有，将来也不需要！"

在阿里巴巴发布的另外一则公开回复中，它称自己"正在遭遇有组织的舆论敲诈"，公开抱怨说，有机构要求公司出30万美元来买断一份针对阿里巴巴的研究报告。

这一切都让人想起2004年8月19日谷歌上市之前的情景。

美国作家理查德·勃兰特说："这已经成为记忆中最受嘲弄的募股行为……上市之前数月，媒体对谷歌公司报道的转变之大是我从未见过的。"

谷歌的首席执行官埃里克·施密特则说："在首次公开发行股票之前的4个月里，我们得到了前所未有的最糟糕的新闻报道。"

谷歌遭遇的指责至少包括以下几点：

1. 违反缄默期不得发布信息的规定。原因是，在启动上市之前的几个月，两位创始人拉里·佩奇和谢尔盖·布林接受了《花花公子》杂志的采访。证券交易委员会就他们是否违反了上市前的缄默期展开了一项调查。最后，拉里·佩奇和谢尔盖·布林同意："为确保对其股票感兴趣的每个人都能获得同样的信息，将《花花公子》的采访纳入招股说明书送给潜在的投资者。"

2. 提交的招股说明书披露的信息不够充分。理查德·勃兰特说："他们对谈论为这个世界所做的伟大事情更感兴趣，而不是解释公司的财务前景。他们向证券交易委员会提交的财务报告中包含有题为'不作恶'和'让世界更美好'的章节，这让他们看起来比较业余。"

3. 谷歌不是一个好的投资项目。一些职业投资人在媒体上说，相比谷歌，雅虎是更好的投资项目。谷歌的收入来源依靠单一的广告，而雅虎的收入来源要广泛得多。

4. 谷歌的两级股票体制属于不良的公司治理——对于重大问题，AB股的设置，使得普通股东们每股可获得1票表决权，拉里·佩奇、谢尔盖·布林和埃里克·施密特则可获得10票表决权。它可能会使公司管理层漠视甚至侵害股东和投资者的利益。虽然在招股说明书中谷歌解释了他们这么做，是想要"保护谷歌的创新能力，并保持其最独特性质的公司架构"。

当然，到今天没有人会再重复这些批评。今天谷歌已经是一家市值逼近4000亿美元的互联网公司，也被公认为最伟大的互联网公司之一。

阿里巴巴的上市遭遇了类似的指责：从信息披露、盈利模式的可持续性，到公司治理。我们通过各种媒体的报道见识了这一点。

接下来，它需要用自己的表现来证明这个判断：它同样会是最为伟大的互联网公司之一。

马云演讲：与年轻人面对面

我最早是在前年的一次会议上，后来是连续不断地听见这个社会对80后、90后的担忧、抱怨、埋怨，觉得他们没有希望，是垮掉的一代。但是引起我思考的是，阿里巴巴的人、淘宝的人、支付宝的人、腾讯的人、百度的人都是80后，是他们建设起来这些公司的。我坚信不疑地认为，我们80后要比70后、60后、50后的人更加成熟、更加成长、更有希望。

最早我爷爷那一代是通过报纸来了解世界的；我父亲那一代相信耳听为实，他们通过收音机来了解世界；我这一代，我们相信眼见为实，我们通过电视机来了解这个世界；而你们这一代，和你们后面的几代，是通过互联网。你们告诉我们："我们不希望听见别人告诉我们，我们想参与。"这就是社会的进步。我爷爷认为我父亲不如他，我父亲一直认为我不如他，但是我们一代胜过了一代。

80后，90后，我觉得是我们的产品，我们没有理由、权利和责任去批判我们的产品，我们唯一有的权利和责任是完善我们的产品。所有的社会都在埋怨，都在抱怨，都说没有机会，都说政府不行，这个不行，那个不行。今天，大家去看一下社会，你承认不承认，真正拿数据来看，今天的官员比十年以前更加廉政、更加能干。今天的企业家比十年前更能干、更能承担责任。今天的大学老师比十年前更加勤奋、更加具备专业知识。今天的医院也比十年前更好。

但是我们看到的是什么？我们看到的抓出来都是贪官，企业家抓出来是像黄光裕这样的，发现的教授是剽窃的，我们发现的医院是不负责任的。但是社会在进步，我们永远要积极乐观地看待未来。在我这一代，我20岁、30岁的时候我也抱怨过，我父亲为什么没有地位，为什么不是局长；我舅舅为什么不是银行里的；我为什么去应聘了30几份工作，没有一个录取我的。

我也抱怨过，但是停在原地抱怨有什么用？我后来变成我那个时代没有抱怨的人。我相信那个时代，在我20岁的时候、在我30岁的时候，那个时代不是我的。我相信40岁以后这个时代是我们的，为了40岁这个时代，我从20岁开始，积极地寻找社会进步的东西，寻找未来，完善自己，而不是埋怨别人，找借口谁都不缺。

我感谢大家今天晚上来交流，因为你们来，意味着每个人都关心未来。有人会说我不知道自己的未来是什么，很正常。我在你们这个年龄的时候，我也不知道，我30岁的时候也不知道，我创业做阿里巴巴开始的时候，只是一个梦想，只是个理想。到今天为止，我越来越清楚我要干吗，所以，我想不知道没关系，但是要心存理想，说我会找到的。我们不断地在思考这些问题，大家说社会到底怎么了，看到的全是坏的。但是我相信在座的以及今天在网上的人，加入看到社会积极的正面的一面，你看到的永远是乐观的一面，去改变自己的一面，你才会成功。我前面10年，我唯一没有放弃的是对未来的理想，对别人的关注，但我放弃了自己很多的习惯，人就是这样，内和外。

所以，包括刚才问的所有的问题，这些问题也许都没有解答，这个答案一定是你的人生去证明它，你觉得对的就去做。创业永远挑选最容易做、最乐意做的事情。创业不是为了赚钱，而是你喜欢它，你喜欢这个工作，你喜欢做这件事情，那是最大的激情，最大的动力所在。如果你为了挣钱，永远有比你想的更挣钱的东西。你选择是因为你喜欢，你喜欢就不要抱怨。我们可以批判这个世界，但是我讨厌那几种，中国社会不能再这样、那样。你们一定会替我们找到未来。今天中国的问题，所有的问题，60年以前中国有过，50年以前中国也有过，40年以前中国还有过，600年以后中国还会有，这个世界丰富多彩就是因为有这些东西。

不是每个80后、90后都会成功，但是有人会成功。不是每个60后的人都会成功，但是有人会成功。谁会成功？你勤奋，你执着，你完善自己，你改变自己去影响别人、去完善社会，这样的人会成功。我不是一个成功学的人，我不喜欢看成功学，我只看别人怎么失败，从别人的失败里反思什么事情我不该去做，从别人的成功里反思他为什么会成功。我要学他的成功，还是学他的精神？所以没有什么抱怨的，坦荡地看自己有什么？要什么？愿意放弃什么？

我们人生到这一世，不是来创业的，不是来做事业的，我们是来体验生活的。世界本来就是不公平的，怎么可能公平？你出生在农村，盖茨的孩子出生在盖茨家里，你能比吗？但是有一点是公平的，比尔·盖茨一天24小时，你一天也是24小时。这24小时里有3个8小时，8小时你在路上走、在挤公车的时候，你根本不知道自己在干什么，这时候你需要好的朋友。还有8小时你睡在床上，你也不知道自己在干什么，这时候你需要一张好的床，床上有一个好的人。还有一个8小时你知道自己在干什么，那就是工作。假如工作你是不开心的，你做的事情是你不爽的。你可以换，千万别做这份工作，讨厌这份工作，我觉得这些人是没有意义的。你娶了这个老婆，天天骂老婆，又不离婚，什么意思，对不对？所以我想每个人要清楚，世界不公平，出生的条件不一样，但是人是可以幸福的，幸福是自己去找的。

那些到城市里的打工者，我对他们尊重，到城市里来打工就是创业者，在我看来我们没有区别。只是我走了这条路，他们走了那条路。每次走过那些工棚，听到他们的笑声，笑得非常开心，我进去发现他们在打牌，两三块钱的赌注，每个人都很开心。幸福其实很容易找，盖茨并不幸福，幸福是自己找出来的。

今天中国经济高速发展，但是我们的价值体系、文化体系受到了摧毁，最早新文化运动摧毁了旧文化，没有建设新文化。"文化大革命"又把我们很多价值体系搞乱。今天有的学者来讲的一些内容，我觉得我并不完全同意。中国不是一个法制社会，好像有了一套法律我们就能解决这些问题，不是那么回事的。美国发展是因为法制吗？好比说这个人漂亮是因为鼻子漂亮吗？不是这样的。美国社会的发展是基于基督教文化，在基督教文化上面建立一套法律体系，在这个法律体系上面建立一套政治体系，在这上面建立起他们领导人的选举体系，整个体系比你想象的要复杂得多。而这只是简简单单的一部分，假如我们今天在价值文化体系被摧毁的情况下，我们随便地从西方拿一点规章制度和法律，这就等于在沙滩上建楼，我们建不起来。

我们需要的是重新找回价值体系，让我们的年轻人明白，不要怪别人富，不要怪人家有钱，而是我如何改变自己，对社会有贡献，寻找快乐，寻找幸福感。创业不会带来幸福感，只会带来快感，但是快感的背后会带来很多的痛苦。真正的幸福感是你知道自己在做什么，知道别人在做什么，你会逐渐从痛苦中找到那些快乐。我坚定不移地相信，你们会为我们，为这个国家，为中国找回价值体系，而这才是中国真正腾飞的时代。永远如此，一代胜过一代，而最高兴和骄傲的是，我从你们眼里看到了希望，所以今天请大家不要抱怨，如果你想成功，积极乐观地看任何问题。

这个时代还不是你的，你们有权利抱怨，但你们没有资格抱怨，等你们四五十岁的时候，你们有资格抱怨，但你们没有权利抱怨。

你必须把它干好，今天你没有坐到那个位置，20年以后别轮到我们抱怨你们："你们当年吹得很牛，现在轮到你们干，你们试试看。"所以准备20年以后的你们，中国是你们的，毛主席说世界是年轻人的。我今天觉得他讲得太对了，一定是你们的，只是今天你们没坐到那个位子的时候，你不知道那个位子有多么痛苦。

人的心态决定姿态，再决定你的生态，心态好了自然会好起来的，你们要比的是20年以后谁能够成为这样的。至于哪家公司，哪个行业，阿里巴巴、腾讯、百度、新浪、微博抓住了这个时代，什么是下一个最好的机会？上一个世纪的商人，抓住机会就会成为成功的商人，但下一个世纪的商人，解决社会问题才能真正成为一个成功的商人。

去想你为未来、你为社会能够解决什么问题，这样的人才真正会成功。而真的要做这件事情从完善自己开始，没有人是完美的，社会不可能完美，因为社会是由所有不完美的人组织在一起的。你的职责就是比别人多勤奋一点、多努力一点、多有一点理想，世界才会好起来。我就是这么走过来的，我没有任何理由走到今天的，唯一的理由是我比同龄人更加乐观，更加懂得用左手温暖右手，相信明天还会更好。

扫一扫，听马云演讲。